William Walker Atkinson

Aprenda como usar a sua mente

Título original: *Your mind and how to use it*

Aprenda como usar a sua mente
1ª edição: Julho 2021

Autor:
William Walker Atkinson

Tradução:
Nathalia Ferrante

Revisão:
3GB Consulting

Projeto gráfico:
Jéssica Wendy

DADOS INTERNACIONAIS DE CATALOGAÇÃO NA PUBLICAÇÃO (CIP)

Atkinson, William Walker.
Aprenda como usar a sua mente : como o novo pensamento pode mudar a sua vida / William Walker Atkinson ; tradução de Nathalia Ferrante. – São Paulo : Citadel, 2021.
224 p.

ISBN: 978-65-87885-75-9

Título original: Your mind and how to use it

1. Autoajuda 2. Controle da mente 3. Desenvolvimento pessoal I. Título II. Ferrante, Nathalia

21-2533 CDD - 158.1

Angélica Ilacqua - Bibliotecária - CRB-8/7057

Produção editorial e distribuição:

contato@citadel.com.br
www.citadel.com.br

William Walker Atkinson

Aprenda como usar a sua mente

Como o novo pensamento pode mudar a sua vida

Tradução:
Nathalia Ferrante

Não é suficiente apenas ter uma mente sã – a pessoa
também deve aprender como usá-la, se quiser
tornar-se mentalmente eficiente.

Sumário

Capítulo I

O que é a mente?

A psicologia é geralmente considerada a ciência da mente, embora, mais propriamente, seja a ciência dos estados mentais – pensamentos, sentimentos e ações da vontade. Antigamente, era costume que os escritores do tema da psicologia começassem por uma tentativa de definir e descrever a natureza da mente antes de proceder a uma consideração dos vários estados e atividades mentais. Mas autoridades mais recentes se rebelaram contra essa ideia, alegando que não é mais razoável sustentar que a psicologia seja usada como explicação da natureza última da mente como a física é tomada como explicação última da matéria. A tentativa de explicar a natureza última de qualquer uma delas é fútil – nenhuma necessidade real existe para explicação em ambos os casos. A física pode explicar os fenômenos da matéria, e a psicologia, os fenômenos da mente, sem levar em conta a natureza final da substância de qualquer uma delas.

A física progrediu de forma constante durante o século passado, não obstante o fato de que as teorias sobre a natureza da matéria foram revolucionadas durante esse período. Os fatos dos fenômenos da matéria permanecem mesmo diante da mudança na teoria a respeito da natureza da própria matéria. A ciência exige e se apega aos fatos, considerando as teorias apenas como hipóteses de trabalho, no melhor dos casos. Alguém disse que "as teorias são apenas as bolhas com as quais as crianças adultas da ciência se divertem". A ciência detém várias teorias bem apoiadas, embora opostas, sobre a natureza da eletricidade, mas os fatos dos fenômenos da eletricidade, e a aplicação deles, são acordados pelos teóricos em disputa. E assim é com a psicologia; os fatos relativos aos estados mentais são um consenso, e métodos de desenvolvimento de poderes mentais são efetivamente empregados independentemente de se a mente é um produto do cérebro, ou se o cérebro é apenas um órgão da mente. O fato de que o cérebro e o sistema nervoso são empregados nos fenômenos do pensamento é percebido por todos, e isso é tudo o que é necessário para uma base para a ciência da psicologia.

Disputas sobre a natureza última da mente agora são geralmente tratadas por filósofos e metafísicos, enquanto a psicologia dedica toda a sua atenção a estudar as leis de atividades mentais e a descobrir métodos de desenvolvimento mental. Até mesmo a filosofia está começando a se cansar do eterno "por quê" e está dedicando atenção à questão de "como" as coisas acontecem. O espírito pragmático invadiu o campo da filosofia, expressando-se nas palavras do Prof. William James, que disse: "O pragmatismo é a atitude de desviar o olhar das primeiras coisas, princípios, categorias, supostas necessidades, e de olhar para as últimas coisas, frutos, consequências e fatos". A psicologia moderna é essencialmente pragmática em seu tratamento do tema da mente. Deixando para a metafísica os velhos argumentos e disputas acerca da natureza última da mente, ela desvia todas as suas energias para descobrir as leis das atividades e estados mentais e desenvolver métodos pelos quais a mente pode ser treinada para realizar mais trabalho de uma maneira melhor, para conservar suas energias e concentrar suas forças. Para a psicologia moderna, a mente é algo a ser usado, não apenas algo a ser especulado e teorizado. Enquanto os metafísicos lamentam essa tendência, as pessoas práticas do mundo se regozijam.

A DEFINIÇÃO DA MENTE

A mente é definida como "a faculdade ou poder pelo qual as criaturas pensantes sentem, pensam e desejam". Essa definição é inadequada e de natureza circular, mas isso é inevitável, pois a mente só pode ser definida em seus próprios termos e apenas por referência a seus próprios processos. A mente, exceto em referência às suas próprias atividades, não pode ser definida ou concebida. Ela é conhecida por si mesma apenas por meio de suas atividades. A mente sem estados mentais é uma mera abstração – uma palavra sem uma imagem mental ou conceito correspondente. Sir William Hamilton expressou o assunto da maneira mais clara possível quando disse: "O que queremos dizer com mente é simplesmente aquilo que percebe, pensa, sente, anseia e deseja". Sem perceber, pensar, sentir, querer e desejar, é impossível formar uma concepção clara ou imagem mental da mente; privada de seus fenômenos, ela torna-se apenas uma mera abstração.

"Pense sobre aquele que pensa"

Talvez o método mais simples de transmitir a ideia da existência e da natureza da mente seja aquele atribuído a um célebre professor alemão de psicologia que costumava começar seu curso pedindo aos alunos que pensassem em alguma coisa, em sua escrivaninha, por exemplo. Então, ele dizia: "Agora pense naquilo que pensa sobre a mesa". Então, depois de uma pausa, ele acrescentaria: "Essa coisa que pensa sobre a escrivaninha, e sobre a qual você está pensando agora, é o assunto de nosso estudo de psicologia". O professor não poderia ter explicado melhor se tivesse lecionado durante um mês.

O professor Gordy bem disse sobre esse assunto: "A mente deve ser aquilo que pensa, sente e deseja, ou deve ser os pensamentos, sentimentos e atos de vontade dos quais temos consciência – fatos mentais, em uma palavra. Mas o que podemos saber sobre aquilo que pensa, sente e deseja, e o que podemos descobrir sobre isso? Onde ela está? Você provavelmente vai dizer, no cérebro. Mas, se você estiver falando literalmente, se disser que está no cérebro, como um lápis está no bolso, então isso deve significar que ocupa um espaço específico, e isso tornaria a mente muito parecida com uma coisa material. Na verdade, quanto mais você considerar isso, mais claramente verá o que os homens pensantes sabem há muito tempo – que não sabemos e não podemos aprender nada sobre essa coisa que pensa, sente e deseja. Está além do alcance do conhecimento humano. Os livros que definem a psicologia como a ciência da mente não têm uma palavra a dizer sobre aquilo que pensa, sente e deseja. Eles estão inteiramente ocupados com os pensamentos e sentimentos e atos da vontade, fatos mentais, em uma palavra – tentando nos dizer o que são, e organizá-los em classes, e nos dizer as circunstâncias ou condições sob as quais eles existem. Parece-me que seria melhor definir psicologia como a ciência das experiências, fenômenos ou fatos da mente, alma ou *self* – de fatos mentais, em uma palavra".

Em vista dos fatos apresentados, e seguindo o exemplo das maiores autoridades modernas, neste livro deixaremos a consideração da questão da natureza última da mente aos metafísicos, e nos limitaremos aos fatos mentais, às leis que os regem e aos melhores métodos para governá-los e usá-los "nos negócios da vida".

A classificação e o método de desenvolvimento a serem seguidos neste livro são os seguintes:

I. O mecanismo dos estados mentais, isto é, o cérebro, o sistema nervoso, os órgãos dos sentidos, etc.

II. O fato da consciência e seus planos.

III. Processos mentais ou faculdades, por exemplo, (1) Sensação e Percepção; (2) Representação ou Imaginação e Memória; (3) Sentimento ou Emoção; (4) Intelecto, ou Razão e Compreensão; (5) Vontade ou Volição.

Os estados mentais dependem do mecanismo físico de manifestação, seja qual for a natureza última da mente. Os estados mentais, qualquer que seja seu caráter especial, enquadram-se em uma das cinco classes gerais de atividades mentais acima.

Capítulo II

O mecanismo dos estados mentais

O mecanismo dos estados mentais – o mecanismo mental por meio do qual sentimos, pensamos e desejamos – consiste no cérebro, sistema nervoso e órgãos dos sentidos. Não importa qual seja a natureza real da mente – não importa qual seja a teoria sustentada a respeito de suas atividades –, deve-se admitir que a mente depende desse mecanismo para a manifestação do que conhecemos como estados mentais. Por mais maravilhosa que seja a mente, ela é vista como dependente desse mecanismo físico para a expressão de suas atividades. E essa dependência é não apenas do cérebro, mas também de todo o sistema nervoso.

Os maiores especialistas concordam que os estados mentais mais elevados e complexos são apenas uma evolução da sensação simples e que dependem da sensação para sua matéria-prima de sentimento e pensamento. Portanto, é apropriado que comecemos considerando o mecanismo da sensação. Isso pressupõe uma consideração da natureza dos nervos.

OS NERVOS

O corpo é atravessado por um intrincado sistema de nervos, que foi comparado a um grande sistema telegráfico. Os nervos transmitem sensações das várias partes do corpo para a grande estação receptora do cérebro. Eles também servem para transmitir os impulsos motores do cérebro para as várias partes do corpo, impulsos esses que resultam no movimento de partes apropriadas do corpo. Existem também outros nervos com os quais não temos nenhuma preocupação neste livro, mas que desempenham certas funções fisiológicas, como digestão, secreção, excreção e circulação. Nossa principal preocupação, neste ponto, é com os nervos sensoriais.

Os nervos sensoriais transmitem as impressões do mundo exterior para o cérebro. O cérebro é a grande estação central dos nervos sensoriais, estes últimos tendo incontáveis estações emissoras em todas as partes do corpo, os "fios" terminando na pele. Quando essas estações terminais nervosas estão irritadas ou excitadas, enviam ao cérebro mensagens pedindo atenção. Isso é verdade não apenas para os nervos do tato ou sensação, mas também para aqueles que se relacionam com os respectivos sentidos da visão, olfato, paladar e audição. Na verdade, os especialistas afirmam que todos os cinco sentidos são apenas uma evolução do sentido primário do tato ou sensação.

O SENTIDO DE TOQUE

Os nervos do sentido do tato terminam na cobertura externa ou na pele do corpo. Eles relatam o contato com outros objetos físicos. Por meio desses relatórios, temos consciência não apenas do contato com o objeto externo, mas também de muitos fatos relativos à natureza daquele objeto, como seu grau de dureza, rugosidade, etc., e sua temperatura. Algumas dessas terminações nervosas são muito sensíveis, como as da ponta da língua e as das pontas dos dedos, enquanto outras são comparativamente deficientes em sensibilidade, por exemplo, as das costas. Alguns desses nervos sensoriais se limitam a relatar o contato e os graus de pressão, enquanto outros se preocupam apenas em relatar os graus de temperatura dos objetos com os quais suas extremidades entram em contato. Alguns desses últimos respondem aos graus mais elevados de calor, enquanto outros respondem apenas aos graus mais baixos de frio. Os nervos de certas partes do corpo respondem mais pronta e distintamente à temperatura do que os de outras partes. Para ilustrar, os nervos da bochecha respondem bastante às variações de calor.

O SENTIDO DA VISÃO

Os nervos do sentido da visão terminam no instrumento ótico complexo que na terminologia popular é conhecido como "olho". O que é conhecido como "retina" é uma membrana nervosa muito sensível que reveste a parte interna posterior do olho e na qual terminam as fibras do nervo óptico. O instrumento óptico do olho transmite as vibrações da luz focalizada aos nervos da retina, de onde o impulso é transmitido ao cérebro. Mas, ao contrário da noção popular, os nervos do olho não medem distâncias, nem fazem inferências de qualquer tipo; isso é claramente trabalho da mente. A simples função dos nervos ópticos consiste em relatar a cor e os graus de intensidade das ondas de luz.

O SENTIDO DA AUDIÇÃO

Os nervos do sentido da audição terminam na parte interna do ouvido. O tímpano recebe as vibrações sonoras que entram nas cavidades do ouvido e, intensificando-as e adaptando-as, passa-as para as extremidades do nervo auditivo no ouvido interno, que transmite a sensação ao cérebro. O nervo auditivo informa ao cérebro os graus de altura, intensidade, qualidade e harmonia, respectivamente, das ondas sonoras que chegam ao tímpano. Como se sabe, existem certas vibrações sonoras que são muito baixas para serem registradas pelo nervo auditivo, e outras muito altas para serem registradas – ambas as classes, porém, passíveis de serem registradas por instrumentos científicos. Também é sabido que alguns animais têm consciência das vibrações sonoras que não são registradas pelos nervos auditivos humanos.

O SENTIDO DO OLFATO

Os nervos do sentido do olfato terminam na membrana mucosa das narinas. Para que esses nervos relatem o odor de objetos externos, é necessário o contato efetivo de partículas minúsculas do objeto com a membrana mucosa das narinas. Isso só é possível pela passagem, pelas narinas, de ar que contenha essas partículas. A mera proximidade da narina não será suficiente. Essas partículas são em sua maioria compostas de gases tênues. Certas substâncias afetam os nervos olfativos muito mais do que outras; a diferença decorre da composição química da substância. Os nervos olfativos transmitem os dados ao cérebro.

O SENTIDO DO PALADAR

Os nervos do sentido do paladar terminam na língua, ou melhor, nas minúsculas células da língua chamadas de "papilas gustativas". As substâncias ingeridas pela boca afetam quimicamente essas células minúsculas, e um impulso é transmitido aos nervos gustativos, que então relatam a sensação ao cérebro. Os especialistas afirmam que as sensações gustativas podem ser reduzidas a cinco classes gerais, a saber: doce, amargo, azedo, salgado e "picante".

Existem certos centros nervosos com funções importantes na produção e expressão de estados mentais, localizados no crânio e na coluna vertebral – o cérebro e a medula espinhal –, que consideraremos no próximo capítulo.

Capítulo III

Os grandes centros nervosos

Os grandes centros nervosos que desempenham papel importante na produção e expressão dos estados mentais são os do cérebro e da medula espinhal, respectivamente.

A MEDULA ESPINHAL

A medula espinhal é o conjunto de nervos similar a uma corda de substância nervosa que está inserida na coluna vertebral ou "espinha dorsal". Ela se inicia na parte inferior do crânio e se estende para baixo no interior da coluna vertebral por cerca de 45 centímetros. É uma continuação do cérebro, entretanto, e é difícil determinar onde um começa e o outro termina. É composta por uma massa de matéria cinzenta circundada por uma cobertura de matéria branca. Da medula espinhal, ao longo de seu comprimento, emergem 31 pares de nervos espinhais que se ramificam para cada lado do corpo e se conectam com os vários nervos menores, estendendo-se a todas as partes do sistema. A medula espinhal é o grande cabo central do sistema nervoso, e qualquer lesão ou obstrução danifica ou paralisa as partes do corpo cujos nervos entram na medula espinhal abaixo do local da lesão ou obstrução. Lesões ou obstruções desse tipo inibem não apenas os relatórios sensoriais da área afetada, mas também os impulsos motores do cérebro que se destinam a mover os membros ou partes do corpo.

OS GÂNGLIOS OU "PEQUENOS CÉREBROS"

O que é conhecido como gânglios, ou minúsculos grupos de células nervosas, é encontrado em várias partes do sistema nervoso, incluindo os nervos espinhais. Esses grupos de células nervosas às vezes são chamados de "pequenos cérebros" e desempenham funções muito importantes no mecanismo de pensamento e ação. Os gânglios espinhais recebem dados sensoriais e emitem impulsos motores, em muitos casos, sem incomodar o cérebro central quanto ao assunto. Essas atividades são conhecidas como "ação nervosa reflexa".

REFLEXOS

O que é conhecido como ação nervosa reflexa é uma das mais maravilhosas atividades do mecanismo nervoso e mental, e o conhecimento disso geralmente é uma surpresa para a pessoa comum, pois ela comumente tem a impressão de que essas atividades são possíveis apenas para o cérebro central. Na verdade, não apenas o cérebro central é realmente uma trindade de três cérebros. Cada um tem um grande número de "pequenos cérebros" distribuídos em seu sistema nervoso, todos e quaisquer dos quais são capazes de receber dados sensoriais e também de enviar impulsos motores. Vale a pena conhecer as maravilhas desse processo de atividade neuromental.

Quando uma cinza entra no olho, uma informação é emitida ao gânglio, um impulso motor é enviado, e a pálpebra se fecha. O mesmo resultado ocorre se o objeto se aproximar do olho, mas sem realmente entrar nele. Em ambos os casos, a pessoa não está consciente da sensação e do impulso motor até que este tenha sido realizado. Essa é ação do reflexo. O movimento instintivo do pé quando sentimos cócegas é outro exemplo. Afastar a mão queimada pela extremidade iluminada do charuto, ou picada por uma agulha, é outro exemplo. As atividades involuntárias, e aquelas conhecidas como atividades inconscientes, resultam de ação reflexa.

Mais do que isso, é fato que muitas atividades originalmente voluntárias se tornam o que é conhecido como "reflexos adquiridos", ou "hábitos motores", através de centros nervosos que adquirem o hábito de enviar certos impulsos motores em resposta a determinadas informações sensoriais. Os movimentos frequentes de nossas vidas são em grande parte realizados dessa forma, como andar, usar garfo e faca, operar máquinas de escrever, máquinas de todos os tipos, escrever, etc. O contorcer-se de uma cobra decapitada, os movimentos musculares de uma rã decapitada e a batalha violenta, esvoaçante, e os pulos da ave decapitada são exemplos de ação reflexa. Relatórios médicos indicam que em casos de decapitação até mesmo o homem pode manifestar ação reflexa semelhante. Assim, vemos que podemos sentir por meio de nossos "pequenos cérebros", bem como pelo cérebro central. Qualquer que seja o caso, é certo que, nesses processos, a mente emprega outras partes do sistema nervoso além do cérebro central.

OS TRÊS CÉREBROS

Sabemos que o cérebro humano é, na verdade, uma trindade de três cérebros, conhecidos respectivamente como (1) a medula oblongada, (2) o cerebelo e (3) o cérebro. Se alguém deseja limitar a atividade mental ao esforço intelectual consciente, então, e somente então, ele está correto ao considerar o cérebro ou grande cérebro como "o cérebro".

Medula oblongada

A medula oblongada é um alargamento da medula espinhal na base do cérebro. Sua função é controlar as atividades involuntárias do corpo, como respiração, circulação, assimilação etc. Em um sentido amplo, pode-se dizer que suas atividades são da natureza de atividades reflexas complexas e altamente desenvolvidas. Manifesta-se principalmente por meio do sistema nervoso simpático, que controla as funções vitais. Normalmente, ela não precisa recorrer ao grande cérebro para essas questões, e é capaz de realizar suas tarefas sem o plano da consciência comum.

O cerebelo

O cerebelo, também conhecido como o "pequeno cérebro", fica logo acima da medula oblongada e logo abaixo da parte posterior do cérebro ou grande cérebro. Combina a natureza de um centro puramente reflexo, por um lado, com a da "mente habitual", por outro. Em suma, o cerebelo preenche um lugar entre as atividades do cérebro e da medula oblongada, apresentando algumas das características de cada um. É o órgão responsável por vários reflexos adquiridos importantes, como caminhar e muitos outros movimentos musculares familiares, que primeiro foram adquiridos conscientemente e depois se tornaram habituais. O patinador, o ciclista, o datilógrafo ou o maquinista habilidoso dependem do cerebelo para adquirir a facilidade e a certeza com que executam seus movimentos "sem pensar neles". Pode-se dizer que alguém nunca adquire completamente um conjunto de movimentos musculares como os que mencionamos até que o cerebelo tenha assumido a tarefa e aliviado o cérebro do esforço consciente.

A técnica de uma pessoa nunca é aperfeiçoada até que o cerebelo assuma o controle e a direção dos movimentos necessários e os impulsos sejam enviados abaixo do plano da consciência comum.

O cérebro

O cérebro, ou "grande cérebro" (que é considerado "o cérebro" pela pessoa média), está situado na parte superior do crânio e ocupa de longe a maior parte da cavidade intracraniana. É dividido em duas grandes divisões ou hemisférios. Os maiores especialistas da área concordam que o cérebro tem zonas ou áreas de funcionamento especializado, algumas das quais recebem os relatórios sensoriais dos nervos e órgãos dos sentidos, enquanto outras enviam os impulsos motores que resultam em ação física voluntária. Muitas dessas áreas ou zonas foram localizadas pela ciência, enquanto outras permanecem ainda não localizadas. A probabilidade é que, com o tempo, a ciência consiga localizar corretamente a área ou zona de toda e qualquer classe de sensação e impulso motor.

O CÓRTEX

A área do pensamento, memória e imaginação não foi claramente localizada, porém se acredita que esses estados mentais têm sede no córtex ou camada fina externa da massa cerebral cinzenta que envolve e cobre a substância cerebral. Além disso, considera-se que os processos mais elevados do raciocínio provavelmente são executados pelo córtex ou pelos lóbulos frontais. O córtex de uma pessoa de inteligência média, se espalhado sobre uma superfície plana, mede aproximadamente cerca de 30 centímetros. Via de regra, quanto mais alto o grau de inteligência de um animal ou ser humano, mais profundas e numerosas são as dobras ou rugosidades do córtex e mais fina é sua estrutura. Pode-se afirmar como regra geral, com pouquíssimas exceções, que, quanto maior o grau de inteligência de um animal ou ser humano, maior é a área de seu córtex em proporção ao tamanho do cérebro. Devemos lembrar que o córtex é formado por sulcos ou convoluções profundas. O cérebro, em sua forma final, essas divisões e convoluções assemelham-se à parte interna de uma noz. O interior dos dois hemisférios cerebrais é composto em grande parte de nervos conectivos que, sem dúvida, servem para produzir e manter a unidade de função dos processos mentais.

Embora a psicologia fisiológica tenha realizado um grande trabalho na descoberta dos centros cerebrais e na explicação de grande parte do mecanismo dos processos mentais, ela apenas tateou os processos mentais mais simples. Os processos superiores até agora desafiaram a análise ou explicação em termos de fisiologia.

Capítulo IV

A consciência

A consciência é o grande mistério da psicologia. É difícil até mesmo definir o termo, embora toda pessoa de inteligência média compreenda o que se busca transmitir por ele. O dicionário Webster a define como o "conhecimento da própria existência, sensações, operações mentais, etc., conhecimento imediato ou percepção de qualquer objeto, estado ou sensação, estar ciente, ser sensível a". Outro especialista define o termo como "o estado de estar ciente das próprias sensações, o poder, faculdade ou estado mental de estar ciente de sua própria existência, condição no momento, pensamentos, sentimentos e ações". A definição de Halleck é: "Aquela característica indefinível dos estados mentais que nos faz ter consciência deles".

Veremos que a ideia de "percepção" é a essência da ideia de consciência. Mas, por fim, somos compelidos a reconhecer que é impossível definir consciência com precisão, pois é algo tão inteiramente único e diferente de qualquer outra coisa que não há outros termos como sinônimos. Podemos defini-la apenas em seus próprios termos, como será visto em referência às definições dadas acima. E é igualmente impossível explicar claramente sua aparência e existência. Huxley disse bem: "Como é possível que algo tão notável como um estado de consciência ocorra como resultado de um tecido nervoso irritante é tão inexplicável quanto a aparição do gênio quando Aladim esfregou sua lâmpada". Tudo o que podemos saber sobre a natureza da consciência deve ser aprendido voltando nossa consciência de volta para si mesma – focalizando a consciência em suas próprias operações mentais por meio da introspecção. Voltando o olhar consciente para dentro, podemos perceber o fluxo da corrente de pensamento desde sua ascensão das regiões subconscientes da mente até seu desaparecimento final na mesma região.

É um erro comum supor que estamos diretamente conscientes de objetos externos a nós mesmos. Isso é impossível, pois não há conhecimento direto de tais objetos externos. Temos consciência apenas de nossas sensações ou imagens mentais dos objetos externos. Tudo de que nos é possível ter consciência direta são nossas próprias experiências ou estados mentais. Não podemos estar diretamente conscientes de nada fora de nossas próprias mentes. Não temos consciência direta da árvore que vemos, temos consciência direta apenas da sensação dos nervos decorrentes do impacto das ondas de luz que carregam a imagem da árvore. Não temos consciência direta da árvore quando a tocamos e percebemos suas características dessa maneira; estamos diretamente conscientes apenas da sensação relatada pelos nervos nas pontas dos dedos que entraram em contato com a árvore. Até mesmo a consciência direta de nossos próprios corpos apenas pode ser adquirida da mesma maneira. É necessário que a mente experimente aquilo de que pode se tornar consciente. Temos consciência apenas (1) do que nossa mente está experimentando neste momento, ou (2) do que ela experimentou no passado, e que está sendo "reexperimentado" neste momento pelo processo da memória, ou que está sendo recombinado ou reorganizado neste momento pela imaginação.

PLANOS SUBCONSCIENTES

Mas não se deve pensar que todo estado mental ou fato mental está no campo da consciência. Esse erro foi cometido durante muitos anos. É agora fato reconhecido que o campo da consciência é muito estreito e limitado, e que o grande campo da atividade mental está fora de seus limites estreitos. Além e fora do estreito campo da consciência está o grande depósito de memória subconsciente no qual estão armazenadas as experiências do passado, para serem novamente atraídas para o campo da consciência por um esforço da vontade no ato de rememoração, ou por associação na lembrança comum. Também aqui, nessa grande região, a mente manifesta muitas de suas atividades e realiza grande parte de seu trabalho. Nessa grande região evoluem as emoções e sentimentos que desempenham papel tão importante em nossas vidas, e que muitas vezes manifestam uma vaga inquietação muito antes de subirem ao plano da consciência. Nessa grande região são produzidas ideias, sentimentos e concepções que surgem no plano da consciência e manifestam o que os homens chamam de "gênio".

No plano subconsciente, a imaginação faz muito de seu trabalho e surpreende seu dono ao apresentar-lhe o resultado alcançado no campo da consciência. No campo subconsciente é realizado aquele processo peculiar de mastigação mental, digestão e assimilação com o qual todos os trabalhadores cerebrais estão familiarizados, e que absorve a matéria-prima mental que lhe é dada, separa, digere e assimila, e reapresenta-a às faculdades conscientes algum tempo depois como uma substância transformada. Estima-se que pelo menos 85% de nossas atividades mentais são desempenhadas abaixo ou fora do campo da consciência. A psicologia de hoje está prestando muita atenção a essa grande área ou áreas da mente anteriormente negligenciadas. A psicologia do amanhã prestará ainda mais atenção a ela.

As autoridades modernas concordam que, no grande campo da mentação subconsciente, pode-se encontrar a explicação de muitas coisas inexplicáveis de outra forma. Na verdade, é provável que, dentro de pouco tempo, a consciência seja considerada mera focalização da atenção nos estados mentais, e os objetos da consciência meramente como aquela porção do conteúdo da mente no campo de visão mental criada por tal enfoque.

Capítulo V

A atenção

Intimamente conectado com o objeto da consciência está aquele processo da mente que chamamos de "atenção". A atenção é geralmente definida como "a aplicação da mente a um estado mental". Muitas vezes é chamada de "consciência concentrada", mas outros aventuraram-se na conjectura um tanto ousada de que a própria consciência é o resultado da atenção, em vez de ser esta última um produto da consciência. Não tentaremos discutir essa questão aqui, exceto para afirmar que a consciência depende muito materialmente do grau de atenção concedido a seu objeto. As autoridades dão grande importância ao direcionamento inteligente da atenção, e sustentam que sem isso as formas superiores de conhecimento são impossíveis.

É de conhecimento geral que sentimos, vemos, ouvimos, provamos ou cheiramos sempre que objetos que afetam esses sentidos entram em contato com os órgãos dos sentidos que os regem. Mas essa é apenas uma verdade parcial. A verdade é que nos tornamos conscientes do relato desses sentidos somente quando a atenção é dirigida para a sensação, voluntária ou involuntariamente. Isso quer dizer que, em muitos casos, embora os nervos e órgãos dos sentidos relatem uma perturbação, a mente não se torna consciente do relato, a menos que a atenção seja dirigida a ela por um ato de vontade ou então por ação reflexa. Por exemplo, o relógio pode bater forte e, ainda assim, podemos não estar cientes do fato, pois estamos concentrando nossa atenção em um livro, ou podemos comer a comida sem prová-la, pois estamos ouvindo atentamente a conversa de nosso encantador vizinho. Podemos deixar de perceber alguma ocorrência surpreendente acontecendo sob nossos próprios olhos, pois estamos mergulhados em pensamentos profundos a respeito de algo muito distante da cena presente. Há muitos casos registrados que mostram que alguém pode estar tão interessado em falar, pensar ou agir que não sentirá uma dor que, de outra forma, seria insuportável. Alguns escritores esqueceram sua dor no esforço concentrado de concluir seu trabalho, mães não sentiram dor quando seus filhos precisaram de atenção urgente, oradores ficaram tão entusiasmados com a própria eloquência que não conseguiram sentir a picada do alfinete por meio da qual seus amigos procuraram atrair sua atenção. Não apenas a percepção e o sentimento dependem amplamente da atenção, mas também os processos de raciocínio, memória e mesmo da vontade dependem da atenção para grande parte de sua manifestação.

Os psicólogos dividem a atenção em duas classes gerais, a saber: (1) atenção voluntária e (2) atenção involuntária.

Atenção voluntária é a atenção dirigida pela vontade a algum objeto de nossa própria escolha mais ou menos deliberada. Isso requer um esforço distinto da vontade para focar a atenção dessa forma, e muitas pessoas mal estão cientes de sua existência, por isso tão raramente a manifestam. A atenção voluntária é o resultado do treinamento e da prática, e marca o homem com forte vontade, concentração e caráter. Algumas autoridades chegam ao ponto de dizer que muito do que é comumente chamado de "força de vontade" é, na verdade, apenas uma forma desenvolvida de atenção voluntária; o homem que tem "forte vontade" é aquele que mantém diante de si a única ideia que deseja realizar.

Atenção involuntária, frequentemente chamada de "atenção reflexa", é a atenção despertada por uma resposta nervosa a algum estímulo sensorial. Essa é a forma mais comum de atenção, e é a mesma forma que é fortemente manifestada por crianças cuja atenção é capturada por cada novo objeto, mas que não pode ser mantida por muito tempo em relação a algo familiar ou desinteressante.

É de extrema importância que cultivemos nosso poder de atenção voluntária. Não apenas a força de vontade é fortalecida e desenvolvida dessa maneira, mas também toda e qualquer faculdade mental é desenvolvida por causa disso.

O treinamento da atenção voluntária é o primeiro passo no desenvolvimento mental.

TREINANDO A ATENÇÃO

Que a atenção voluntária pode ser deliberadamente treinada e desenvolvida é um fato que muitos dos maiores homens do mundo provaram por si próprios. Existe apenas uma maneira de treinar e desenvolver qualquer poder mental – e é por meio da prática e da utilização. Pela prática, o interesse pode ser dado a objetos anteriormente desinteressantes, e, assim, o uso da atenção desenvolve o interesse que será usado para mantê-la. O interesse é o caminho natural pelo qual a atenção viaja facilmente, mas o próprio interesse pode ser induzido por meio da atenção concentrada. Ao estudar e examinar um objeto, a atenção traz à luz muitos recursos novos e inéditos sobre a coisa, e estes produzem um novo interesse, que, por sua vez, atrai mais atenção continuada.

Não existe um caminho para o desenvolvimento da atenção voluntária. O único método verdadeiro é o trabalho, a prática e a utilização. Você deve praticar em coisas desinteressantes; o interesse preliminar deve ser apenas seu desejo de desenvolver o poder da atenção voluntária. Mas, à medida que você começa a prestar atenção em coisas desinteressantes, você se interessa pela tarefa por si mesma. Escolha algum objeto e "concentre-se nele". Pense em sua natureza, de onde veio, seu uso, suas associações, seu provável futuro, em coisas relacionadas a ele, etc., etc. Mantenha a atenção firme nisso e exclua todas as ideias externas. Então, depois de um pouco de treino desse tipo, deixe o objeto de lado por enquanto e retome-o no dia seguinte, procurando descobrir novos pontos de interesse nele. A principal coisa a ser buscada é manter aquele objeto em mente, e isso só pode ser feito descobrindo características de interesse nele. A atenção por coisas interessantes pode rebelar-se com essa tarefa no início, e procurará vagar pelas pastagens verdes ou qualquer coisa ao lado do objeto. Mas você deve trazer a mente de volta à tarefa, repetidamente.

Depois de algum tempo, a mente se acostumará com o exercício e até mesmo começará a apreciá-lo. Dê-lhe alguma variedade ocasionalmente mudando os objetos de exame. O objeto nem sempre precisa ser algo a ser olhado. Em vez disso, selecione algum assunto na história ou literatura e "analise-o", esforçando-se para trazer à luz todos os fatos relacionados a ele que sejam possíveis. Qualquer coisa pode ser usada como assunto ou objeto de exame, mas o que for escolhido deve ser mantido no campo da atenção consciente de maneira firme e fixamente. Uma vez adquirido o hábito, você achará a prática fascinante. Você inventará novos assuntos ou objetos de investigação, exame e pensamento que por si sós irão recompensá-lo por seu trabalho e tempo. Mas nunca perca de vista o ponto principal – o desenvolvimento do poder da atenção voluntária.

Ao estudar os métodos de desenvolvimento e treinamento da atenção voluntária, o aluno deve se lembrar de que qualquer exercício que desenvolva a vontade resultará no desenvolvimento da atenção e, da mesma forma, qualquer exercício que desenvolva a atenção voluntária tenderá a fortalecer a vontade. A vontade e a atenção estão tão intimamente ligadas que o que afeta uma também influencia a outra. Esse fato deve ser levado em consideração, e os exercícios e práticas devem se basear nele.

Ao praticar a concentração da atenção voluntária, deve ser lembrado que a concentração consiste não apenas em focar a atenção em um dado objeto ou assunto, mas também em eliminar impressões de outros objetos ou assuntos. Algumas autoridades aconselham que o aluno se esforce para ouvir uma voz entre muitas, ou um instrumento entre muitos em uma banda ou orquestra. Outros aconselham a prática de concentrar-se na leitura de um livro em uma sala cheia de pessoas conversando e em exercícios semelhantes. Qualquer coisa que ajude a estreitar o círculo de atenção em determinado momento tende a desenvolver o poder da atenção voluntária.

O estudo da matemática e da lógica também é considerado uma excelente prática na concentração da atenção voluntária, na medida em que esses estudos exigem muita concentração e atenção. A atenção também é desenvolvida por qualquer estudo ou prática que exija a análise de um todo em suas partes, e então a síntese ou construção de um todo a partir de suas partes dispersas. Cada um dos sentidos deve desempenhar um papel nos exercícios, e, além disso, a mente deve ser treinada para se concentrar em alguma ideia mantida dentro de si mesma – alguma imagem mental ou ideia abstrata deve existir independentemente de qualquer objeto de relato imediato dos sentidos.

Capítulo VI

A percepção

É um erro comum acreditar que percebemos tudo o que é relatado à mente pelos sentidos. Na verdade, percebemos apenas uma pequena porção dos relatos dos sentidos. Existem milhares de visões relatadas por nossos olhos, sons relatados por nossos ouvidos, cheiros relatados por nossas narinas e contatos relatados por nossos nervos do tato, todos os dias de nossas vidas, mas que não são percebidos ou observados pela mente. Percebemos e observamos apenas quando a atenção, reflexa ou voluntária, é direcionada para o relato dos sentidos, e quando a mente interpreta o relato. Enquanto a percepção depende dos relatos dos sentidos para ter sua matéria-prima, ela depende inteiramente da aplicação da mente para sua manifestação completa.

O aluno geralmente experimenta grande dificuldade em distinguir entre sensação e percepção. Uma sensação é um simples relato dos sentidos que são recebidos conscientemente. A percepção é o pensamento que surge do sentimento da sensação. A percepção geralmente combina várias sensações em um pensamento ou percepção. Pela sensação, a mente sente; pela percepção, ela conhece o que sente e reconhece o objeto que causa a sensação. A sensação apenas traz um relatório de objetos externos, enquanto a percepção identifica o relatório com o objeto que o causou. A percepção interpreta os relatos de sensação. A sensação relata um *flash* de luz de cima; a percepção interpreta a luz como a luz das estrelas, ou luar, ou luz do sol, ou como o clarão de um meteoro. A sensação relata um contato agudo, penetrante e doloroso; a percepção o interpreta como a picada de um alfinete. A sensação relata uma mancha vermelha em um fundo verde; a percepção a interpreta como uma fruta em um arbusto.

Além disso, embora possamos perceber uma única sensação simples, nossas percepções são geralmente de um grupo de sensações. A percepção é geralmente empregada para agrupar sensações e identificá-las com o objeto ou objetos que as causam. Em sua identificação, ela se baseia em qualquer memória de experiências passadas que a mente possa guardar. Memória, imaginação, sentimento e pensamento são postos em jogo, até certo ponto, em toda percepção clara. O bebê tem uma percepção fraca, mas, à medida que ganha experiência, começa a manifestar percepções e a formar percepções.

As sensações lembram as letras do alfabeto, e a percepção, a formação de palavras e frases a partir das letras.

Assim, as letras G, A, T, O simbolizam sensações, enquanto a palavra "gato", formada a partir delas, simboliza a percepção do objeto.

Afirma-se que todo conhecimento começa com a sensação, que a história mental da raça ou indivíduo começa com sua primeira sensação. Mas, embora isso seja admitido, deve-se lembrar que a sensação simplesmente fornece a matéria-prima simples e elementar do pensamento. O primeiro processo de pensamento real, ou conhecimento, começa com a percepção. A partir de nossas percepções, todos os nossos conceitos e ideias superiores são formados. A percepção depende da associação da sensação com outras sensações previamente experimentadas; é baseada na experiência. Quanto maior a experiência, maior é a possibilidade de percepção, tudo o mais sendo igual.

Quando a percepção começa, a mente perde de vista a sensação em si mesma, pois a identifica como uma qualidade da coisa que a produz. A sensação de luz é considerada uma qualidade da estrela; a sensação de picada é considerada uma qualidade do alfinete ou do espinho do ouriço; a sensação do perfume é considerada uma qualidade da rosa. No caso da rosa, as várias sensações de visão, tato e olfato, em sua impressão das qualidades de cor, forma, suavidade e perfume, são agrupadas na percepção do objeto completo da flor.

Uma percepção é "aquilo que é percebido, o objeto do ato da percepção". A percepção, naturalmente, é um estado mental que corresponde a seu objeto exterior. É uma combinação de várias sensações que são consideradas qualidades do objeto externo, às quais são combinadas as memórias de experiências, ideias, sentimentos e pensamentos passados. Uma percepção, então, embora seja a forma mais simples de pensamento, é vista como um estado mental. A formação de um percepto consiste em três estágios graduais: (1) a atenção forma sensações conscientes definidas a partir de relatórios nervosos indefinidos, (2) a mente interpreta essas sensações conscientes definidas e as atribui ao objeto externo que as causa, e (3) as sensações relacionadas são agrupadas, sua unidade é percebida e são consideradas qualidades do objeto externo.

A clara distinção entre uma sensação e um percepto pode ser fixada na mente, lembrando o seguinte: uma sensação é um sentimento; a percepção é um pensamento simples que identifica uma ou mais sensações. Uma sensação é meramente o reconhecimento consciente da excitação de uma extremidade nervosa; uma percepção resulta de um processo mental distinto em relação à sensação.

DESENVOLVENDO A PERCEPÇÃO

É de extrema importância que desenvolvamos e treinemos nossos poderes de percepção, pois nossa educação depende em grande medida de nosso poder de percepção. O que importa para nós se o mundo exterior está cheio de múltiplos objetos, se não percebemos que eles existem? Da percepção depende o material de nosso mundo mental. Muitas pessoas passam pelo mundo sem perceber nem mesmo os fatos mais óbvios. Seus olhos e ouvidos são instrumentos perfeitos, seus nervos transmitem relatos precisos, mas as faculdades perceptivas da mente falham em observar e interpretar o relato dos sentidos. Eles veem e ouvem perfeitamente, mas os relatos dos sentidos não são observados ou notados, não significam nada para eles. Alguém pode ver muitas coisas, mas observa realmente muito pouco. Nosso estoque de conhecimentos não depende do que vemos ou ouvimos, mas do que percebemos, notamos ou observamos.

Não apenas o estoque de conhecimento prático de uma pessoa é amplamente baseado na percepção desenvolvida, mas o sucesso de uma pessoa também depende materialmente das mesmas faculdades. Nos negócios e na vida profissional, o homem de sucesso geralmente é aquele que desenvolveu faculdades perceptivas, aquele que aprendeu a perceber, observar e notar. O homem que percebe e faz anotações mentais do que ocorre em seu mundo é aquele que está apto a estar ciente quando tal conhecimento é necessário. Nesta época de "educação literária", descobrimos que os jovens não são tão observadores quanto as crianças que dependiam dos poderes de percepção para obter seu conhecimento. O jovem árabe ou indiano observará mais em uma hora do que uma criança ocidental em um dia inteiro. Viver em um mundo dos livros tende, em muitos casos, a enfraquecer os poderes da observação e da percepção.

A percepção pode ser desenvolvida pela prática. Comece observando as coisas vistas e ouvidas em suas caminhadas habituais. Mantenha os olhos da mente bem abertos. Observe os rostos das pessoas, seu andar, suas características.

Procure coisas interessantes e estranhas e você as verá. Não passe a vida sonhando acordado, mas fique atento às coisas de interesse e valor. As coisas mais familiares vão recompensá-lo pelo tempo e trabalho de examiná-las detalhadamente, e a prática adquirida com essas tarefas será valiosa para o desenvolvimento da percepção.

Uma autoridade observa que muito poucas pessoas, mesmo aquelas que vivem no campo, sabem se as orelhas de uma vaca estão acima, abaixo, atrás ou na frente de seus chifres, nem se os gatos descem das árvores com a cabeça ou com o rabo primeiro. Poucas pessoas conseguem distinguir entre as folhas dos vários tipos de árvores em sua vizinhança. Comparativamente, poucas pessoas são capazes de descrever a casa em que vivem, pelo menos além das características mais gerais – os detalhes são desconhecidos.

Houdini, o mágico francês, foi capaz de passar pela vitrine de uma loja e perceber cada artigo nela, e então repetir o que tinha visto. Mas ele adquiriu essa habilidade apenas pela prática constante e gradual. Ele mesmo desmereceu sua habilidade e afirmou que não era nada comparada com a da mulher elegante que pode passar por outra mulher na rua e "ver" todo o seu traje, da cabeça aos pés, com um olhar, e "ser capaz de descrever não apenas a moda e a qualidade dos tecidos, mas também dizer se a renda é real ou feita à máquina". Diz-se que um ex-reitor de Yale conseguia olhar um livro e ler um quarto de página de uma só vez.

Qualquer estudo ou ocupação que requeira análise desenvolverá o poder de percepção. Consequentemente, se analisarmos as coisas que vemos, resolvendo-as em suas partes ou elementos, também desenvolveremos as faculdades perceptivas. É um bom exercício examinar algum objeto pequeno e se esforçar para descobrir tantos pontos de percepção quanto possível, anotando-os em uma folha de papel. Quanto mais familiar for o objeto, se examinado cuidadosamente, mais produzirá retornos valiosos.

Se duas pessoas entrarem em uma competição desse tipo, o espírito de rivalidade e competição aumentará os poderes de observação. Aqueles que tiveram paciência e perseverança para praticar sistematicamente exercícios desse tipo relatam que notam uma melhora constante desde o início. Mas, mesmo que alguém não se sinta inclinado a praticar dessa forma, será possível começar a notar os detalhes das coisas que se vê, a expressão do rosto das pessoas, os detalhes de suas roupas, seu tom de voz, a qualidade dos produtos que manuseamos e as pequenas coisas. A percepção, como a atenção, segue o interesse, mas, da mesma forma, o interesse pode ser criado pelas coisas observando seus detalhes, peculiaridades e características.

O melhor conhecimento adquirido por alguém é o que resulta de sua própria percepção pessoal. Há uma proximidade e veracidade daquilo que se conhece dessa maneira, que está faltando naquilo em que simplesmente se acredita porque se leu ou ouviu. Pode-se tornar esse conhecimento uma parte de si mesmo. Não apenas o conhecimento de uma pessoa depende do que ela percebe, mas seu próprio caráter também resulta do caráter de suas percepções.

A influência do ambiente é grande – e o que é o ambiente senão as coisas percebidas sobre ele? Não é tanto o que está fora de alguém, mas que parte disso fica dentro de alguém por percepção. Dirigindo sua atenção para objetos desejáveis e percebendo-os tanto quanto possível, a pessoa realmente constrói seu próprio caráter com o poder vontade.

O mundo precisa de bons "observadores" em todas as esferas da vida. Há uma falta de pessoas assim, e a vida está exigindo-as em voz alta, estando disposta a pagar um bom preço por seus serviços. A pessoa que pode perceber e observar voluntariamente os detalhes de qualquer profissão, negócio ou comércio irá longe nessa vocação. A educação das crianças deve levar em consideração a faculdade da percepção. O jardim de infância deu alguns passos nessa direção, mas há muito mais a ser feito.

Capítulo VII

Memória

Os psicólogos classificam como "processos mentais representativos" aqueles conhecidos como memória e imaginação, respectivamente. O termo "representação" é usado em psicologia para indicar os processos de "reapresentação" ou de apresentar novamente à consciência aquilo que anteriormente foi apresentado a ela, mas que posteriormente está fora de seu campo. Como Hamilton diz: "A capacidade geral do conhecimento requer necessariamente que, além do poder de evocar da inconsciência uma parte de nosso conhecimento retido em preferência a outra, tenhamos a faculdade de representar na consciência o que é assim evocado".

A memória é a principal faculdade representativa ou poder da mente. A imaginação depende da memória para seu material, como veremos quando considerarmos essa faculdade. Todo processo mental que envolve a lembrança ou representação de uma sensação, percepção, imagem mental, pensamento ou ideia previamente experimentada deve depender da memória para seu material. A memória é o grande depósito da mente em que são depositados os registros de experiências mentais anteriores. É uma parte do grande campo subconsciente da atividade mental, e a maior parte de seu trabalho é realizada abaixo do plano de consciência. É somente quando seus resultados são passados para o campo da consciência que estamos cientes de sua existência. Só conhecemos a memória por suas obras. De sua natureza, sabemos pouco, embora algumas de suas principais leis e princípios tenham sido descobertos.

Antigamente era costume classificar a memória como uma das várias faculdades da mente, mas a psicologia posterior não tem mais essa visão. A memória é considerada agora como um poder da mente geral, manifestando sua conexão com cada faculdade da mente. Agora é considerada como pertencente ao grande campo subconsciente da mentação, e sua explicação deve ser buscada lá. É totalmente inexplicável de outra forma.

A importância da memória não pode ser superestimada. Não somente o caráter e a instrução de um homem dependem principalmente da memória, mas também seu próprio ser mental está limitado a ela. Se não houvesse memória, o homem nunca progrediria mentalmente além do estado mental do bebê recém-nascido. Não seríamos capazes de aprender com a experiência. Não seríamos capazes de formar percepções claras. Não poderíamos raciocinar ou formar julgamentos. Os processos de pensamento dependem do material da memória de experiências passadas. Sem esse material, não pode haver pensamento.

A memória tem duas funções gerais importantes: (1) a retenção de impressões e experiências e (2) a reprodução das impressões e experiências retidas.

Antigamente, sustentava-se que a memória retinha apenas uma parte das impressões e experiências originalmente percebidas por ela. Mas a teoria presente é que a memória retém todas as impressões e experiências que são notadas por ela. É verdade que muitas dessas impressões nunca são reproduzidas na consciência, mas experimentos tendem a provar, no entanto, que os registros ainda estão na memória e que estímulos apropriados e suficientemente fortes os levarão para o campo da consciência. Os fenômenos do sonambulismo, sonhos, histeria, delírios, aproximação da morte, etc., mostram que a mente subconsciente tem um imenso acúmulo de fatos aparentemente esquecidos que estímulos incomuns podem trazer à tona.

O poder da memória de reproduzir as impressões e experiências retidas é chamado de lembrança, rememoração ou memória.

Esse poder varia materialmente em vários indivíduos, mas é um axioma da psicologia que a memória de qualquer pessoa pode ser desenvolvida e treinada através da prática. A capacidade de recordar depende em grande parte da clareza e profundidade da impressão original, que, por sua vez, depende do grau de atenção dado a ela no momento do acontecimento.

A lembrança também é grandemente auxiliada pela lei da associação, ou o princípio pelo qual um fato mental está ligado a outro. Quanto mais fatos estão vinculados a um dado fato, maior a facilidade com que esse fato é lembrado. A lembrança também é muito auxiliada pelo uso e por exercícios. Como os dedos, as células de memória do cérebro tornam-se especialistas e eficientes pelo uso e exercícios, ou rígidas e ineficientes pela falta deles.

Além das fases de retenção e reprodução, existem duas fases importantes da memória: (3) reconhecimento da impressão ou experiência reproduzida e (4) localização da impressão, ou sua referência a um tempo e lugar mais ou menos definidos.

O reconhecimento da impressão lembrada é muito importante. Não é suficiente que a impressão seja retida e recordada. Se não formos capazes de reconhecer a impressão lembrada como foi experimentada antes, a lembrança será de pouca utilidade para nós em nossos processos de pensamento. Os propósitos do pensamento exigem que sejamos capazes de identificar a impressão lembrada com a original. O reconhecimento é realmente "reconhecimento", conhecer de novo. O reconhecimento é semelhante à percepção. A mente se torna consciente da impressão evocada da mesma forma que se torna consciente da sensação. Em seguida, reconhece a relação da impressão recordada com a original, da mesma forma que percebe a relação da sensação com seu objeto.

A localização da impressão lembrada e reconhecida também é importante. Mesmo que reconheçamos a impressão lembrada, será comparativamente pouco útil para nós a menos que possamos localizá-la como tendo acontecido ontem, na semana passada, no mês passado, no ano passado, dez anos atrás ou em algum momento no passado e como tendo acontecido em nosso escritório, casa, ou em tal e tal lugar na rua, ou em algum lugar distante.

Sem o poder de localização, não seríamos capazes de conectar e associar o fato lembrado ao tempo, lugar e pessoas com as quais ele deveria ser usado e valioso para nós em nossos processos de pensamento.

A RETENÇÃO

A retenção de uma impressão mental na memória depende muito da clareza e profundidade da impressão original. E essa clareza e profundidade, como afirmamos anteriormente, dependem do grau de atenção dispensado à impressão original. A atenção, então, é o fator mais importante na formação e no registro das impressões. A regra é: atenção ruim, registro fraco. Atenção concentrada, registro claro e profundo. Para fixar esse fato na mente, o aluno pode pensar nas fases retentiva e reprodutiva da memória como um registro fonográfico. O diafragma receptor do fonógrafo representa os órgãos dos sentidos, e a agulha de gravação representa a atenção. A agulha faz um registro no cilindro profundo ou fraco dependendo da condição da agulha. Um som alto pode ser gravado erroneamente se a agulha não estiver ajustada corretamente. E, além disso, devemos lembrar que a força da reprodução depende quase inteiramente da clareza e profundidade da impressão original no cilindro. Como foi feito o registro, assim será a reprodução. Será bom para o estudante ter esse símbolo do fonógrafo em mente; isso o ajudará a desenvolver seus poderes de memória.

A esse respeito, devemos lembrar que a atenção depende em grande parte do interesse. Portanto, naturalmente esperaríamos descobrir que nos lembramos de coisas interessantes muito mais prontamente do que daquilo que não nos interessa. Essa suposição é confirmada pela experiência real. Isso explica o fato de que cada um se lembra de certa classe de coisas melhor do que outros. Um se lembra dos rostos, outro de datas, outro da conversa falada, outros das palavras escritas, e assim por diante. De modo geral, veremos que cada pessoa está interessada na classe de coisas que recorda com maior facilidade. O artista se lembra facilmente de rostos e detalhes de rostos, ou cenário e detalhes deles. O músico lembra facilmente passagens ou compassos musicais, muitas vezes de natureza muito complicada. O investidor lembra facilmente as cotações de suas ações favoritas. O apostador lembra sem dificuldade as "probabilidades" postadas em certo cavalo em determinado dia, ou os detalhes de uma corrida que foi disputada muitos anos atrás. A moral aqui é: crie e induza um interesse nas coisas de que você deseja se lembrar. Esse interesse pode ser despertado pelo estudo das coisas em questão, como sugerimos no capítulo anterior.

VISUALIZAÇÃO NA MEMÓRIA

Muitas autoridades afirmam que as impressões originais podem ser tornadas claras e profundas, e o processo de reprodução consequentemente mais eficiente, pela prática de visualizar a coisa a ser lembrada. Por visualização entende-se a formação de uma imagem mental de algo na imaginação. Se você deseja se lembrar da aparência de alguma coisa, olhe para ela de perto, com atenção, e então, afastando-se dela, procure reproduzir sua aparência como uma imagem mental na mente.

Se isso for feito, uma impressão particularmente clara será gravada na memória, e, quando você se lembrar da coisa, descobrirá que também vai se lembrar da imagem mental dela. É claro que, quanto maior o número de detalhes observados e incluídos na imagem mental original, maiores serão os detalhes da lembrança.

A PERCEPÇÃO NA MEMÓRIA

Não só é necessário atenção na formação de registros de memória claros, mas uma percepção cuidadosa também é importante. Sem uma percepção clara, faltam detalhes no registro retido e falta o elemento de associação. Não é suficiente apenas lembrar-se da coisa em si; devemos também lembrar tudo o que pudermos sobre ela. A prática dos métodos de desenvolvimento da percepção, dada na lição anterior, tenderá a desenvolver e treinar os poderes retentivos, reprodutivos, reconhecedores e locativos da memória. A regra aqui é: quanto maior o grau de percepção atribuído a uma coisa, maior o detalhe da impressão retida, e maior a facilidade da lembrança.

COMPREENSÃO E MEMÓRIA

Outro ponto importante na aquisição de impressões na memória é este: que, quanto melhor for a compreensão do assunto ou objeto, mais claras serão as impressões a respeito dele e mais clara será a sua lembrança.

Esse fato é comprovado por experimentos e experiências. Um assunto que será lembrado apenas com dificuldade em circunstâncias normais será facilmente lembrado se for totalmente explicado à pessoa e acompanhado por algumas ilustrações ou exemplos familiares. É muito difícil lembrar uma sequência de palavras sem sentido, enquanto uma frase que transmite um significado claro pode ser memorizada com facilidade. Se entendermos para que serve uma coisa, seus usos e funções, nos lembraremos dela com muito mais facilidade do que se não tivéssemos esse entendimento. Ebbinghaus, que conduziu vários experimentos nessa linha, relata que conseguia memorizar uma estrofe de poesia em cerca de um décimo do tempo necessário para memorizar a mesma quantidade de sílabas sem sentido. Gordy afirma que certa vez pediu a um estudante competente da Universidade Johns Hopkins que lhe contasse uma palestra que ele acabara de ouvir. "Não consigo", respondeu o aluno, "não tinha lógica." A regra aqui é: quanto mais se sabe sobre determinada coisa, mais facilmente essa coisa é lembrada. Esse é um ponto digno de nota.

Capítulo VIII

Memória – continuação

O assunto da memória não pode ser abordado de forma inteligente sem uma consideração da Lei da Associação, um dos princípios psicológicos mais importantes.

A LEI DA ASSOCIAÇÃO

O que é conhecido em psicologia como Lei da Associação é baseado no fato de que nenhuma ideia existe na mente exceto em associação com outras ideias. Isso não é geralmente reconhecido, e a maioria das pessoas contestará a lei à primeira vista. Mas a existência e o aparecimento de ideias na mente são regidos por uma lei mental tão invariável e constante quanto a lei física da gravitação. Cada ideia tem associações com outras ideias. As ideias viajam em grupos, e um grupo é associado a outro grupo, e assim por diante, até que, no final, cada ideia na mente de uma pessoa é associada direta ou indiretamente a todas as outras ideias.

Teoricamente, seria possível começar com uma ideia na mente de uma pessoa e, então, gradualmente desenrolar todo o seu estoque de ideias, como o fio de um novelo de lã. Nossos pensamentos procedem de acordo com essa lei. Nos sentamos e passamos de um assunto a outro até sermos incapazes de nos lembrar de qualquer conexão entre o primeiro pensamento e o último. Mas cada etapa do devaneio estava conectada com a anterior e a seguinte. É interessante rastrear essas conexões. Poe baseou uma de suas famosas histórias de detetive nessa lei. O devaneio pode ser interrompido por uma impressão repentina de fora, e então procederemos a partir dessa impressão, conectando-a com outra coisa já em nossa experiência e iniciando uma nova cadeia de pensamento.

Frequentemente nós não seguimos as associações que governam nossas ideias, mas a corrente está lá de qualquer maneira. Pode-se pensar em uma cena ou experiência passada sem nenhuma causa aparente. Um pensamento pequeno mostrará que algo visto, ou algumas notas de uma canção que flutua próximo às orelhas, ou a fragrância de uma flor, forneceram a ligação conectando o passado e o presente. O cheiro de uma flor lembrará algum evento passado no qual o perfume desempenhou um papel – o lenço de alguém, talvez, tivesse o mesmo perfume. Ou uma velha melodia familiar lembra alguém, algo ou algum lugar no passado. Uma característica familiar no semblante de um transeunte fará com que alguém pense em outra pessoa que tinha aquele tipo de boca, aquele formato de nariz ou aquela expressão nos olhos – e então ele partirá em uma sequência de lembranças e experiências. Frequentemente, a ideia inicial, ou os elos de conexão, podem aparecer apenas vagamente na consciência, mas tenha a certeza de que estão sempre lá. Na verdade, frequentemente aceitamos essa lei inconscientemente e sem perceber sua existência real. Por exemplo, alguém faz uma observação e imediatamente nos perguntamos "Como ele chegou a pensar nisso?", e, se formos astutos, podemos descobrir o que estava em sua mente antes de falar.

Há duas classes gerais da associação das ideias na memória: (1) associação de contiguidade e (2) associação lógica.

Associação de contiguidade é aquela forma de associação que depende da associação anterior no tempo ou espaço de ideias que foram impressas na mente. Por exemplo, se você conheceu o Sr. e a Sra. Wetterhorn e foi apresentado a eles um após o outro, depois disso você naturalmente se lembrará do Sr. W. quando pensar na Sra. W., e vice-versa. Você se lembrará naturalmente de Napoleão quando pensar em Wellington, ou de Benedict Arnold quando pensar no Major André, pelo mesmo motivo. Você também se lembrará naturalmente de B e C quando pensar em A. Da mesma forma, você pensará em tempo abstrato quando pensar em espaço abstrato, em trovões quando pensar em relâmpagos, em cólicas quando se lembrar de maçãs verdes, em fazer amor e nas noites de luar quando pensar na época da faculdade. Da mesma forma, lembramos coisas que ocorreram um pouco antes ou logo depois do evento em nossa mente naquele momento, de coisas próximas no espaço em relação àquilo em que estamos pensando.

A associação lógica depende da relação de semelhança ou diferença entre várias coisas pensadas. As coisas assim associadas podem nunca ter surgido na mente no mesmo momento anterior, nem estão necessariamente conectadas no tempo e no espaço. Pode-se pensar em um livro e, então, por associação, pensar em outro livro do mesmo autor, ou em outro autor tratando do mesmo assunto. Ou se pode pensar em um livro diretamente oposto ao primeiro, associação causada pela relação de distinção. A associação lógica depende das relações internas, e não das relações externas de tempo e espaço. Essa internalidade da relação entre coisas não conectadas no espaço ou no tempo é descoberta apenas por meio da experiência e pela educação. O homem educado percebe muitos pontos de relacionamento entre coisas que são consideradas pelo homem comum como totalmente não relacionadas. A sabedoria e o conhecimento são cruciais no reconhecimento das relações entre as coisas.

ASSOCIAÇÃO NA MEMÓRIA

Decorre de uma consideração da Lei da Associação que, quando alguém deseja imprimir algo na memória, deve, como uma autoridade diz, "Multiplicar associações, emaranhar o fato que você deseja lembrar em uma rede de tantas associações quanto possível, especialmente associações lógicas". Daí o conselho de colocar seus fatos em grupos e classes na memória. Como Blackie diz, "Nada ajuda tanto a mente quanto a ordem e a classificação. As classes são sempre poucas; os indivíduos, muitos. Conhecer bem a classe é saber o que é mais essencial no caráter do indivíduo, gerando menor esforço para retenção da memória".

REPETIÇÃO NA MEMÓRIA

Outro princípio importante da memória é que as impressões adquirem profundidade e clareza pela repetição. Repita uma linha de poesia uma vez e você pode se lembrar; repita-a novamente, e suas chances de se lembrar aumentam muito; repita-a um número suficiente de vezes, e você não vai mais esquecê-la. O exemplo do registro fonográfico o ajudará a entender o motivo disso. A regra aqui é: a repetição constante aprofunda as impressões da memória; a revisão frequente e a recordação do que foi memorizado tendem a manter os registros claros e limpos, além de aprofundar a impressão a cada revisão.

REGRAS GERAIS DE MEMÓRIA

As seguintes regras gerais serão úteis ao aluno que deseja desenvolver sua memória: fazendo impressões,

- (1) Preste atenção.
- (2) Cultive o interesse.
- (3) Manifeste a percepção.
- (4) Cultive a compreensão.
- (5) Forme associações.
- (6) Repita e revise.

Relembrando impressões:

(1) Esforce-se para agarrar a ponta solta da associação e, em seguida, desenrole o novelo de lã da sua memória.

(2) Quando você se lembrar de uma impressão, envie-a de volta com energia para aprofundar a impressão e vincule-a ao maior número possível de novas associações.

(3) Pratique memorizar e relembrar um pouco a cada dia, mesmo que seja apenas uma linha de verso. A memória melhora com a prática e se deteriora com a negligência e o desuso.

(4) Faça bom uso de sua memória, e ela aprenderá a responder. Aprenda a confiar nela, e assim ela poderá corresponder às suas necessidades. Como você pode esperar que sua memória preste um bom serviço quando você continua a dizer que tem "uma memória miserável, nunca consegue se lembrar de nada"? Sua memória está muito apta a aceitar suas afirmações como verdade. Nossas faculdades mentais têm o hábito irritante de acreditar em nossa palavra. Diga à sua memória o que você espera que ela faça, então confie e evite falar mal dela.

CONSELHOS FINAIS

Finalmente, lembre-se desta regra: você tira da sua memória apenas o que você coloca nela. Coloque impressões boas, claras e profundas, e ela reproduzirá lembranças boas, claras e fortes. Pense em sua memória como um registro fonográfico e tome cuidado para colocar o tipo certo de impressões sobre ela. Na memória, você colhe o que semeou. Você deve dar à memória antes de poder receber dela. De uma coisa você pode ter certeza: se você não tiver interesse suficiente nas coisas a serem lembradas, descobrirá que a memória não terá interesse suficiente para ajudá-lo a lembrar. A memória exige interesse antes de se interessar pela tarefa. Exige atenção antes de dar atenção. Exige compreensão antes de dar compreensão. Exige associação antes de responder à associação. Exige repetição antes de se repetir. A memória é um instrumento esplêndido, mas mantém a sua dignidade, afirmando os seus direitos. Ela pertence a uma espécie de antiga repartição: exige compensação e acredita em dar apenas na mesma medida em que recebeu. Nosso conselho é conhecer sua memória e fazer amizade com ela. Trate-a bem, e ela irá atendê-lo bem. Mas, se negligenciá-la, ela virará as costas para você.

Capítulo IX

A imaginação

A imaginação pertence à classe geral de processos mentais denominados faculdades "representativas", ou seja, os processos em que são reapresentados a impressões de consciência anteriormente apresentadas.

Como indicamos anteriormente, a imaginação depende da memória para adquirir sua matéria-prima – os registros de impressões anteriores. Mas a imaginação é mais do que mera memória ou lembrança dessas impressões previamente experimentadas e registradas. Existe, além da reapresentação e da lembrança, um processo de organizar as impressões evocadas em novas formas e novas combinações. A imaginação não apenas reúne as velhas impressões, mas também cria novas combinações e formas a partir do material coletado.

A psicologia nos dá muitas definições e distinções minuciosas entre a imaginação reprodutiva simples e a memória, mas essas distinções são técnicas e, via de regra, confundem o estudante médio. Na verdade, há muito pouca ou nenhuma diferença entre a imaginação reprodutiva simples e a memória, embora, quando a imaginação se entrega à atividade construtiva, uma nova característica entre no processo que está ausente nas operações puras de memória. Na imaginação reprodutiva simples, há simplesmente a formação da imagem mental de alguma experiência anterior – a reprodução de uma imagem mental anterior. Isso difere muito pouco da memória, exceto que a imagem recuperada é mais clara e mais forte. Do mesmo modo, na memória comum, na manifestação da lembrança, muitas vezes existe a mesma imagem mental forte e nítida que é produzida na imaginação reprodutiva. Os dois processos mentais se fundem tão intimamente que é praticamente impossível traçar uma linha entre eles, apesar das diferenças técnicas preconizadas pelos psicólogos. É claro que a mera lembrança de uma pessoa que se apresenta a alguém está mais próxima da pura memória do que da imaginação, pois o processo é o do reconhecimento. Mas a memória ou lembrança da mesma pessoa quando ela está ausente de vista é praticamente uma imaginação reprodutiva. A memória, em seu estágio de reconhecimento, existe na mente da criança antes que a imaginação reprodutiva se manifeste. Esta última, portanto, é considerada um processo mental superior.

Mas ainda mais alto nessa escala está o que é conhecido como imaginação construtiva. Essa forma de imaginação aparece em um período posterior da mentação infantil e é considerada uma evolução dos processos mentais da raça humana. Gordy faz a seguinte distinção entre as duas fases da imaginação: "A diferença entre a imaginação reprodutiva e a imaginação construtiva é que as imagens resultantes da imaginação reprodutiva são cópias de experiências anteriores, enquanto as resultantes da imaginação construtiva não são. Para saber se determinada imagem, ou combinação de imagens, é produto da imaginação reprodutiva ou construtiva, tudo o que temos de fazer é saber se se trata ou não da cópia de uma experiência passada. Nossas memórias, é claro, são defeituosas, e podemos ficar inseguros por causa disso. Mas, fora essa questão, não precisamos ter nenhuma dúvida".

Muitas pessoas que ouvem pela primeira vez a declaração de psicólogos de que as faculdades imaginativas podem reapresentar e reproduzir ou recombinar apenas as imagens que foram previamente impressas na mente estão aptas a negar que podem criar, e frequentemente criam, imagens de coisas que não experimentaram anteriormente. Mas elas podem e fazem isso? Não é verdade que o que acreditam ser criações originais da imaginação são meramente novas combinações das impressões originais? Por exemplo, ninguém nunca viu um unicórnio, e, no entanto, alguém originalmente imaginou sua forma. Mas um pequeno pensamento mostrará que a imagem do unicórnio é meramente a de um animal com cabeça, pescoço e corpo de cavalo, com barba de cabra, pernas de veado, cauda de leão e um chifre longo e afilado, torcido em espiral, no meio da testa. Cada uma das várias partes do unicórnio existe em algum animal vivo, embora o unicórnio, composto de todas essas partes, seja inexistente fora da fábula. Da mesma forma, o centauro é composto pelo corpo, pernas e cauda do cavalo e pelo tronco, cabeça e braços de um homem. O sátiro tem cabeça, corpo e braços de homem, com chifres, pernas e cascos de cabra. A sereia tem cabeça, braços e tronco de mulher, unidos pela cintura ao corpo e cauda de um peixe.

O "demônio" mitológico tem a cabeça, o corpo e os braços de um homem, com chifres, pernas e pés fendidos da parte inferior do animal, e uma cauda peculiar composta de algum animal, mas com uma lança na ponta. Cada uma dessas características é composta por imagens familiares de experiência. A imaginação pode se ocupar por toda a vida produzindo animais impossíveis desse tipo, mas cada parte dela corresponderá a algo existente na natureza e terá sido experimentada pela mente da pessoa que cria essa besta estranha.

Do mesmo modo, a imaginação pode fantasiar uma pessoa ou coisa familiar agindo de maneira incomum, sem base nos fatos no que diz respeito à pessoa ou coisa, mas justificada por alguma experiência relativa a outras pessoas ou coisas. Por exemplo, pode-se facilmente formar a imagem de um cachorro nadando embaixo d'água como um peixe ou subindo em uma árvore como um gato. Da mesma forma, pode-se formar uma imagem mental de um alto chanceler erudito e de peruca, ou de um venerável arcebispo de Canterbury vestido como um palhaço, de cabeça para baixo, equilibrando uma bola de futebol colorida nos pés, colocando a língua na bochecha e piscando para a audiência. Da mesma forma, pode-se imaginar uma ferrovia atravessando um deserto árido, ou uma montanha íngreme sobre a qual ainda não existe uma ferrovia. A ponte sobre um rio pode ser pensada da mesma maneira. Na verdade, é assim que tudo é mentalmente criado, construído ou inventado – os materiais antigos são combinados de uma nova maneira e arranjados sob uma nova roupagem. Alguns psicólogos chegam a dizer que nenhuma imagem mental da memória é uma reprodução exata da impressão original, que sempre há mudanças devido ao funcionamento inconsciente da imaginação construtiva.

A imaginação construtiva é capaz de "despedaçar as coisas" em busca de material, bem como "juntar as coisas" no seu trabalho de construção. A importância da imaginação em todos os processos do pensamento intelectual é muito grande. Sem imaginação, o homem não poderia raciocinar ou manifestar qualquer processo intelectual. É impossível considerar o assunto do pensamento sem primeiro considerar os processos da imaginação.

E, no entanto, é comum ouvir pessoas falarem da imaginação como se fosse uma faculdade de mera fantasia, inútil e sem lugar no mundo prático do pensamento.

DESENVOLVENDO A IMAGINAÇÃO

A imaginação é passível de desenvolvimento e treinamento. As regras gerais para o desenvolvimento da imaginação são praticamente aquelas que afirmamos em relação ao desenvolvimento da memória. Existe a mesma necessidade de bastante material. Para a formação de impressões claras e profundas e imagens mentais bem definidas, há a mesma necessidade de impressão repetida e de uso e emprego frequentes dessa faculdade.

A prática da visualização, é claro, fortalece o poder da imaginação, assim como a da memória. As duas faculdades estão intimamente relacionadas. A imaginação pode ser fortalecida e treinada pela lembrança deliberada de impressões anteriores que são, então, combinadas em novas relações. Os materiais da memória podem ser separados e então recombinados e reagrupados. Da mesma forma, pode-se entrar nos sentimentos e pensamentos de outras pessoas imaginando-se em seu lugar e esforçando-se por representar na imaginação a vida de tais pessoas. Desse modo, pode-se construir uma concepção muito mais completa e ampla da natureza humana e das motivações humanas.

Neste ponto, também, devemos advertir o estudante contra o desperdício comum dos poderes da imaginação e a dissipação de seus poderes em fantasias e devaneios ociosos. Muitas pessoas usam mal a imaginação e não apenas enfraquecem sua capacidade de trabalho eficaz, mas também desperdiçam seu tempo e energia. Devaneios são notoriamente inadequados para o trabalho real e prático da vida.

IMAGINAÇÃO E IDEAIS

E, finalmente, o estudante deve lembrar que, na categoria das faculdades imaginativas, deve ser colocada aquela fase da atividade mental que tem a ver tanto com a construção quanto com a destruição da vida – a formação de ideais. Nossos ideais são os padrões segundo os quais moldamos nossa vida. De acordo com a natureza de nossos ideais será o caráter da vida que levamos.

Nossos ideais são o suporte daquilo que chamamos de caráter. É uma verdade, tão antiga quanto a humanidade, e agora está sendo percebida com mais clareza pelos pensadores, que de fato "como um homem pensa em seu coração, assim ele é". A influência de nossos ideais afeta não apenas nosso caráter, mas também nosso lugar e grau de sucesso na vida. Crescemos para ser aquilo que idealizamos. Se criarmos um ideal, seja de qualidades gerais, seja de qualidades manifestadas por alguma pessoa viva ou morta, e mantivermos esse ideal sempre diante de nós, não poderemos deixar de desenvolver traços e qualidades correspondentes àqueles de nosso ideal. Uma reflexão cuidadosa mostrará que o caráter depende muito da natureza de nossos ideais, portanto, vemos o efeito da imaginação na construção do caráter.

Além disso, nossa imaginação tem influência importante em nossas ações. Muitos homens que cometeram atos imprudentes ou imorais não os teriam cometido se tivessem uma imaginação que lhes mostrasse os prováveis resultados da ação. Da mesma forma, muitos homens foram inspirados a grandes feitos e realizações devido a sua imaginação, retratando os possíveis resultados de certas ações. "Grandes coisas" em todas as esferas da vida foram realizadas por homens que tiveram imaginação suficiente para conceber as possibilidades de certos caminhos ou desfechos. As estradas de ferro, as pontes, as linhas de telégrafo, as linhas do cabo e outras obras humanas são resultados da imaginação de alguns homens. A boa fada madrinha sempre proporciona uma imaginação fértil e viva além dos presentes que concede a seus amados afilhados. Bem, o velho filósofo orou aos deuses: "E, com tudo, dê-me uma imaginação clara e ativa".

Os dramáticos valores da vida dependem da qualidade da imaginação. A vida sem imaginação é mecânica e enfadonha. A imaginação pode aumentar a suscetibilidade à dor, mas nos compensa aumentando a capacidade de sentir alegria e felicidade. O porco tem pouca imaginação, pouca dor e pouca alegria, mas quem tem inveja do porco? A pessoa com uma imaginação desobstruída e ativa é em certa medida criadora de seu mundo, ou pelo menos uma recriadora. Ela participa ativamente das atividades criativas do universo, em vez de ser mero peão empurrado aqui e ali no jogo da vida.

Novamente, o dom divino de simpatia e compreensão depende materialmente da posse de uma boa imaginação. Ninguém pode compreender a dor ou os problemas de outro a menos que possa se imaginar no lugar do outro. A imaginação está no centro da empatia. A pessoa pode ter grande capacidade de sentir, mas, devido à sua falta de imaginação, pode nunca pôr esse sentimento em ação. A pessoa que simpatiza com os outros deve primeiro aprender a compreendê-los e sentir suas emoções. Ele só pode fazer isso se tiver o grau adequado de imaginação. Aqueles que alcançam o coração das pessoas devem primeiro ser alcançados pelos sentimentos das pessoas. E isso só é possível para aquele cuja imaginação lhe permite imaginar-se na mesma condição que os outros, e assim despertar seus sentimentos latentes, empatia e compreensão. Assim, vê-se que a imaginação toca não apenas nossa vida intelectual, mas também nossa natureza emocional. A imaginação é a própria vida da alma.

Capítulo X

Os sentimentos

Ao pensar sobre a mente e suas atividades, estamos acostumados com a ideia geral de que os processos mentais são principalmente aqueles do intelecto, da razão, do pensamento. Mas, na verdade, a maior parte das atividades mentais são aquelas relacionadas com sentimento e emoção. O intelecto é o filho mais novo da mente e, embora imponha sua presença vigorosamente conhecida nas maneiras de todas as crianças mais novas, de modo que talvez seja justificado considerá-lo como "a coisa toda" na família, ele realmente desempenha uma pequena parte no trabalho geral da família mental. As atividades do lado "sentimental" da vida superam em muito as do lado "pensante", são muito mais fortes em sua influência e efeito, como regra, e, de fato, colorem os processos intelectuais, inconscientemente, de modo a constituir suas qualidades distintas, exceto no caso de poucos pensadores avançados.

Mas há uma diferença entre "sentimento" e "emoção", como os termos são empregados em psicologia. A primeira é a fase simples; a última, a complexa. De modo geral, a semelhança ou diferença é semelhante à existente entre sensação e percepção, conforme explicado em capítulo anterior. Partindo do simples, para depois chegar ao complexo, consideraremos agora o que se conhece como simples "sentimento".

O termo "sentimento", conforme usado nessa conexão em psicologia, foi definido como "o lado simples agradável ou desagradável de qualquer estado mental". Esses lados agradáveis ou desagradáveis dos estados mentais são bastante distintos do ato de saber que os acompanha. Uma pessoa pode perceber e assim "saber" que outra pessoa está falando com ela e estar totalmente ciente das palavras que estão sendo usadas e de seu significado. Normalmente, no que diz respeito aos processos de pensamento puro, isso completaria o estado mental. Mas devemos contar com o lado do sentimento, bem como com o lado do pensamento do estado mental. Consequentemente, descobrimos que o conhecimento das palavras da outra pessoa e o significado delas resultam em um estado mental agradável ou desagradável. Da mesma forma, a leitura de um livro, a audição de uma música ou uma visão ou cena percebida podem resultar em um sentimento mais ou menos forte, agradável ou desagradável. Essa sensação de consciência agradável ou desagradável é a característica essencial do que chamamos de "sentimento".

É muito difícil explicar o sentimento, exceto em seus próprios termos. Sabemos muito bem o que queremos dizer, ou o que outro quer dizer, quando afirmamos que "nos sentimos tristes" ou temos "um sentimento de alegria" ou "um sentimento de interesse". E, no entanto, é muito difícil explicar o estado mental, exceto nos termos do próprio sentimento. Nosso conhecimento depende inteiramente de nossa experiência anterior do sentimento. Como uma autoridade diz: "Se nunca sentimos prazer, dor, medo ou tristeza, um livro não pode nos fazer entender o que é esse estado mental". Todo estado mental não se distingue por um sentimento forte. Existem certos estados mentais que se preocupam principalmente com o esforço intelectual, e nos quais todos os traços de sentimento parecem estar ausentes, a menos que, como alguns alegaram, o "sentimento" de interesse ou a falta dele seja uma forma tênue de sentimento de prazer ou dor. O hábito pode entorpecer a sensação de um estado mental até que fique aparentemente neutro, mas geralmente ainda resta uma leve sensação de gostar ou não gostar.

As formas elementares de sentimento estão intimamente ligadas às de sensação simples. Mas experimentos revelaram que existe uma distinção na consciência. Descobriu-se que a pessoa muitas vezes tem consciência do "toque" de um objeto aquecido antes de sentir a sensação ou dor resultante disso. Os psicólogos apontaram outra distinção: quando experimentamos uma sensação, costumamos referir-nos à coisa exterior que é o objeto dela, como quando tocamos o objeto aquecido; mas, quando experimentamos um sentimento, instintivamente fazemos referência a nós mesmos, como quando o objeto aquecido nos causa dor. Como uma autoridade disse: "Meus sentimentos pertencem a mim, mas minhas sensações parecem pertencer ao objeto que os causou".

Outra prova da diferença e distinção entre sensação e sentimento é o fato de que a mesma sensação produzirá sentimentos diferentes em pessoas diferentes que experimentam a primeira, ainda que ao mesmo tempo. Por exemplo, a mesma visão fará com que uma pessoa se sinta eufórica e a outra deprimida, as mesmas palavras produzirão um sentimento de alegria em um e um sentimento de tristeza em outro. A mesma sensação produzirá sentimentos diferentes na mesma pessoa em momentos diferentes. Outra autoridade bem disse: "Você deixa cair sua bolsa e a vê caída no chão, quando se abaixa para pegá-la, sem nenhum sentimento de prazer ou dor. Mas se você a vir depois de tê-la perdido e procurado por muito tempo, então será tomado por um forte sentimento de prazer".

Existe uma vasta gama de graus e tipos de sentimentos. Gordy diz: "Todas as formas de prazer e dor são chamadas de sentimentos. Entre o prazer que vem de comer um pêssego e o que resulta de resolver um problema difícil, ou de ouvir uma boa notícia de um amigo, ou de pensar no progresso da civilização – entre a dor que resulta de um corte na mão e aquela que resulta do fracasso de um plano há muito acalentado ou da morte de um amigo –, há uma longa distância. Mas no primeiro grupo é tudo prazer, e no outro, tudo dor. E, qualquer que seja a fonte do prazer ou da dor, é um sentimento semelhante".

Há muitos tipos diferentes dos sentimentos. Alguns surgem de sensações de conforto ou desconforto físico, outros de condições puramente fisiológicas, outros, da satisfação de gostos habituais, ou da insatisfação decorrente da estimulação de gostos não habituais, outros pela presença ou ausência de conforto, outros, pela presença ou ausência de coisas ou pessoas pelas quais temos carinho ou estima. A indulgência excessiva frequentemente transforma a sensação de prazer em dor, e, da mesma forma, o hábito e a prática podem fazer com que experimentemos uma sensação prazerosa em relação ao que antes inspirava sentimentos opostos. Os sentimentos também diferem em grau, isto é, algumas coisas nos levam a experimentar sensações prazerosas de maior intensidade que outras, e algumas nos levam a experimentar sensações dolorosas de maior intensidade que outras. Esses graus de intensidade dependem mais ou menos do hábito ou experiência do indivíduo. Como regra geral, os sentimentos podem ser classificados em (1) aqueles que surgem de sensações físicas e (2) aqueles que surgem de ideias.

Os sentimentos que dependem das sensações físicas surgem de tendências e inclinações herdadas ou de hábitos e experiências adquiridas. É uma premissa da escola evolucionária que qualquer atividade física que tenha sido um hábito da raça, por muito tempo continuada, torna-se uma atividade instintiva que dá prazer ao indivíduo. Por exemplo, os seres humanos por muitas gerações foram obrigados a caçar, pescar, viajar, nadar, etc., a fim de encontrar meios de sobrevivência. O resultado é que nós, os descendentes, estamos aptos a encontrar prazer nas mesmas atividades como esportes, jogos, exercícios, etc. Muitas de nossas tendências e sentimentos são herdados dessa maneira. A estes adicionamos muitos hábitos adquiridos de atividade física, que seguem a mesma regra, isto é, que o hábito e a prática transmitem uma sensação mais ou menos prazerosa. Temos mais prazer em fazer as coisas que podemos fazer facilmente ou muito bem do que em relação ao que nos traz dificuldades.

Os sentimentos que dependem das ideias também podem ser herdados. Muitas de nossas tendências e inclinações mentais vieram do passado. Existem certos sentimentos que nascem em uma pessoa, sem dúvida, isto é, existe uma grande capacidade para tais sentimentos que se transformarão em manifestação mediante a apresentação do estímulo adequado. Outros sentimentos mentais dependem de nossa experiência individual passada, associação ou sugestões de outros – de nosso ambiente anterior, na verdade. Os ideais das pessoas ao nosso redor nos farão sentir prazer ou dor, conforme o caso, sob certas circunstâncias. A força da sugestão ao longo destas linhas é realmente muito forte. Não apenas experimentamos sentimentos em resposta a sensações presentes, mas também a lembrança de alguma experiência anterior despertará sentimento. Na verdade, sentimentos desse tipo estão intimamente ligados à memória e à imaginação. Pessoas de imaginação fértil tendem a sentir muito mais do que outras. Eles sofrem mais e desfrutam mais. Nossas simpatias, que dependem em grande parte de nosso poder de imaginação, são a causa de muitos de nossos sentimentos desse tipo.

Muitos dos fatos que geralmente atribuímos ao sentimento fazem realmente parte dos fenômenos da emoção, sendo esta última a fase mais complexa do sentimento. Para os fins desta consideração, consideramos o sentimento simples como a matéria-prima da emoção, sendo a relação comparada àquela existente entre sensação e percepção. Em nossa consideração da emoção, veremos a manifestação mais completa do sentimento e suas expressões mais complexas.

Capítulo XI

As emoções

Como vimos nas lições anteriores, uma emoção é a fase mais complexa do sentimento. Via de regra, uma emoção surge de vários sentimentos. Além disso, é de uma ordem superior de atividade mental. Como vimos, um sentimento pode surgir tanto de uma sensação física quanto de uma ideia. A emoção, entretanto, como regra, depende de uma ideia para sua expressão, e sempre de uma ideia para sua direção e continuidade. O sentimento, é claro, é o espírito elementar de todos os estados emocionais e, como disse uma autoridade, é o fio pelo qual os estados emocionais são amarrados.

Halleck diz: "Quando ideias representativas aparecem, o sentimento em combinação com elas produz emoção. Depois que as águas do Missouri se combinam com outro riacho, elas recebem um nome diferente, embora fluam em direção ao golfo com o mesmo volume de antes. Suponha que comparemos o sentimento devido à sensação ao rio Missouri, o caminho das ideias representativas para o Mississippi antes de sua junção com o Missouri. A emoção pode então ser comparada ao Mississippi após sua junção – após o sentimento ter se combinado com as ideias representativas. O fluxo emocional não será mais amplo e profundo do que antes. Essa analogia é empregada apenas para tornar a distinção mais clara. O estudante deve lembrar que os poderes mentais nunca são realmente tão distintos quanto dois rios antes de sua união. O aluno deve tomar cuidado para não pensar que ignoramos o sentimento quando consideramos a emoção. Assim como as águas do Missouri fluem até chegarem ao golfo, o sentimento atravessa todos os estados emocionais". Na analogia acima, o termo "ideias representativas" significa as ideias de memória e imaginação conforme explicadas nos capítulos anteriores.

Existe uma estreita relação entre emoção e expressão física – uma ação e reação mútua peculiar entre o estado mental e a ação física que o acompanha. Os psicólogos estão divididos quanto a essa relação. Uma escola sustenta que a expressão física segue e resulta do estado mental. Por exemplo, ouvimos ou vemos algo e, então, experimentamos o sentimento ou emoção da raiva.

Esse sentimento emocional reage sobre o corpo e provoca aumento dos batimentos cardíacos, um fechamento apertado dos lábios, uma cara feia, sobrancelhas abaixadas e punhos cerrados. Ou podemos perceber algo que causa a sensação ou emoção de medo, que reage sobre o corpo e produz palidez, arrepio dos cabelos, queda da mandíbula, abertura das pálpebras, tremor das pernas etc. De acordo com essa escola, e a ideia popular, o estado mental precede e causa a expressão física.

Mas outra escola de psicologia, da qual o falecido Prof. William James é autoridade principal, afirma que a expressão física precede e causa o estado mental. Por exemplo, nos casos acima citados, a percepção da visão que causa raiva ou medo gera primeiro uma ação reflexa sobre os músculos, de acordo com os hábitos de expressão herdados. Essa expressão e atividade muscular, por sua vez, agem sobre a mente causando sentimento ou emoção de raiva ou medo, conforme o caso. O professor James, em algumas de suas obras, apresenta um argumento convincente em apoio a essa teoria, e suas opiniões influenciaram o pensamento científico da época sobre o assunto. Outros, entretanto, procuraram combater sua teoria por meio de argumentos igualmente convincentes, e o assunto ainda está sob discussão viva e animada nos círculos psicológicos.

Sem tomar partido na controvérsia acima, muitos psicólogos seguem a hipótese de que há uma ação e reação mútua entre os estados mentais emocionais e a expressão física apropriada deles, cada um em certa medida sendo a causa do outro, e cada um sendo igualmente o efeito do outro. Por exemplo, nos casos citados acima, a percepção da visão que produz raiva ou medo causa, quase simultaneamente, o estado mental emocional de raiva ou medo, conforme o caso, e a expressão física disso. Em seguida, segue-se rapidamente uma série de reações mentais e físicas.

O estado mental atua sobre a expressão física e a intensifica. A expressão física, por sua vez, reage ao estado mental e induz um grau mais intenso de sentimento emocional. E assim por diante, até que o estado mental e a expressão física atinjam seu ponto mais alto e então comecem a diminuir devido à exaustão de energia. Essa concepção de meio-termo atende a todos os requisitos dos fatos e é provavelmente mais correta do que qualquer teoria extrema.

Darwin, no clássico *A Expressão das Emoções no Homem e nos Animais*, lançou bastante luz sobre o assunto da expressão da emoção em movimentos físicos. O cientista florentino Paolo Mantegazza acrescentou ao trabalho de Darwin ideias próprias e inúmeros exemplos extraídos de sua própria experiência e observação. A obra de François Delsarte, fundador da escola de expressão que leva seu nome, é também uma valiosa contribuição para o pensamento sobre esse assunto. O tema da relação e reação entre o sentimento emocional e a expressão física é extremamente fascinante, e podemos esperar descobertas interessantes e valiosas durante os próximos vinte anos.

A relação e a reação acima mencionadas são interessantes não apenas do ponto de vista da teoria, mas também devido a sua aplicação prática no desenvolvimento e treinamento emocional. É uma verdade estabelecida da psicologia que cada expressão física de um estado emocional serve para intensificar esse estado emocional. É como derramar óleo no fogo. Da mesma forma, é igualmente verdade que a repressão da expressão física de uma emoção tende a restringir e inibir a própria emoção.

Halleck diz: "Se observarmos uma pessoa ficando com raiva, veremos a emoção aumentar à medida que ela fala alto, franze a testa profundamente, fecha o punho e gesticula descontroladamente. Cada expressão de sua emoção é refletida de volta na raiva original e adiciona mais lenha ao fogo. Se ela inibir resolutamente as expressões musculares de sua raiva, o sentimento não atingirá grande intensidade e logo se dissipará. Não sem razão são aquelas pessoas ditas de sangue frio que habitualmente reprimem, tanto quanto possível, a expressão de suas emoções, que nunca franzem a testa ou colocam qualquer sentimento no tom de sua fala, mesmo quando um erro infligido a alguém exige medidas agressivas. Não há aqui nenhuma onda de expressão corporal para refluir e aumentar o estado emocional".

A esse respeito, chamamos a atenção para a passagem familiar e frequentemente citada das obras do Prof. William James: "Recuse-se a expressar uma paixão, e ela morre. Conte até dez antes de desabafar sua raiva, e a ocasião parece ridícula. Assobiar para manter a coragem não é mera figura de linguagem. Por outro lado, sente-se o dia todo em postura deprimida, suspire e responda a tudo com uma voz sombria, e sua melancolia irá perdurar. Não há preceito mais valioso na educação moral do que este, como todos os que têm experiência sabem: se quisermos eliminar tendências emocionais indesejáveis em nós mesmos, devemos assiduamente, e em primeiro lugar com sangue-frio, realizar os movimentos externos daquelas disposições contrárias que preferimos cultivar. Alise a testa, ilumine os olhos, contraia o aspecto dorsal em vez do ventral da estrutura e fale em tom amistoso, e seu coração se acalmará gradualmente".

Na mesma linha, Halleck diz: "Os atores frequentemente testemunham o fato de que a emoção surgirá se eles fizerem os movimentos musculares apropriados. Ao falar com um personagem no palco, se eles cerrarem os punhos e franzirem a testa, muitas vezes ficam com muita raiva; se começam com uma risada falsa, ficam cada vez mais alegres. Um professor alemão diz que não consegue imitar o passo e o ar inquietantes de uma estudante sem se sentir frívolo".

O estudante sábio adquirirá grande controle sobre sua natureza emocional se reler e estudar as declarações e citações acima até que tenha compreendido seu espírito e essência. Nessas poucas linhas, ele recebe uma filosofia de autocontrole e autodomínio que valerá muito se for aplicada na prática. Paciência, perseverança, prática e vontade são necessárias, mas a recompensa é grande. Mesmo para aqueles que não têm a persistência de aplicar essa verdade plenamente, haverá uma recompensa parcial se a usarem a ponto de restringir, tanto quanto possível, qualquer expressão física indevida de uma excitação emocional indesejável.

Alguns escritores parecem considerar a capacidade para grande excitação emocional e expressão como marca de um caráter rico ou de uma alma nobre. Isso está longe de ser verdade. Embora seja fato que o cultivo de certas emoções tende a criar um caráter nobre e uma vida plena, é igualmente verdade que a tendência a "jorrar" e entregar-se a excessos histéricos ou sentimentais é uma marca de natureza mal controlada e caráter fraco, ao invés de forte. Além disso, é fato que o excesso de excitação e expressão emocional tende à dissipação dos sentimentos mais refinados e nobres que, de outra forma, buscariam uma saída na ação prática. Na linguagem do velho engenheiro escocês da história, eles são como a velha locomotiva que "gasta muito vapor no barulho, mas não anda".

A excitação e a expressão emocionais dependem em grande parte do hábito e da indulgência, embora haja uma grande diferença, é claro, na natureza emocional e nas tendências de várias pessoas. As emoções, como ações físicas ou processos intelectuais, tornam-se hábitos por meio da repetição. E o hábito torna todas as ações físicas ou mentais fáceis de repetir. Cada vez que alguém manifesta raiva, quanto mais profundo é o caminho mental, mais fácil é percorrer esse caminho da próxima vez. Da mesma forma, cada vez que a raiva for dominada e inibida, mais fácil será contê-la da próxima vez. Da mesma forma, hábitos desejáveis de emoção e expressão podem ser formados.

Outro ponto no cultivo, treinamento e contenção das emoções tem a ver com o controle das ideias que permitimos que venham à mente. Hábitos ideativos podem ser formados – são formados, de fato, pela maioria das pessoas. Podemos cultivar o hábito de ver o lado bom das coisas, de buscar o melhor naqueles que encontramos, de esperar as melhores coisas em vez das piores. Nos recusando resolutamente a dar boas-vindas a ideias calculadas para despertar certas emoções, sentimentos, paixões, desejos, sentimentos ou estados mentais semelhantes, podemos fazer muito para evitar o despertar da própria emoção. Em geral, as emoções são provocadas por alguma ideia, e, se excluirmos a ideia, podemos impedir que o sentimento emocional apareça. A esse respeito, a regra universal da psicologia pode ser aplicada: um estado mental pode ser inibido ou restringido voltando-se a atenção para o estado mental oposto.

O controle da atenção é realmente o controle de todos os estados mentais. Podemos usar a vontade na direção do controle da atenção – o desenvolvimento e a direção da atenção voluntária – e assim efetivamente controlar todas as fases da atividade mental. A vontade está mais próxima do ego, ou ser central do homem, e a atenção é a principal ferramenta e instrumento da vontade. Devemos lembrar frequentemente desse fato. Se for impresso na mente, provará ser útil e valioso em muitas emergências da vida mental. Aquele que controla sua atenção controla sua mente e, controlando sua mente, controla a si mesmo.

Capítulo XII

As emoções instintivas

Muitas tentativas de classificar as emoções foram feitas por psicólogos, mas as melhores autoridades sustentam que, embora seja conveniente para abordar o assunto, qualquer classificação é cientificamente inútil, devido a sua incompletude. Como James inteligentemente afirma: "Qualquer classificação das emoções é considerada tão verdadeira e natural como qualquer outra se servir a algum propósito". A dificuldade de acompanhar a tentativa de classificação surge do fato de que toda emoção é mais ou menos complexa e é composta de vários sentimentos e nuances de excitação emocional. Cada emoção se mistura com outras. Assim como alguns elementos da matéria podem ser agrupados em centenas de milhares de combinações, os elementos do sentimento podem ser agrupados em milhares de tons de emoção. Diz-se que dois elementos de carbono e hidrogênio formam combinações que resultam em cinco mil variedades de substância material, "do antracito ao gás do pântano, do coque preto à nafta incolor". O mesmo pode ser dito das combinações emocionais formadas a partir de dois elementos principais de sentimento.

Além disso, a estreita distinção entre sensação e sentimento, por um lado, e entre sentimento e emoção, por outro, serve para complicar ainda mais a tarefa.

Para efeitos de nossa consideração, vamos dividir as emoções em cinco classes gerais: (1) emoções instintivas, (2) emoções sociais, (3) emoções religiosas, (4) emoções estéticas e (5) emoções intelectuais. Devemos agora considerar separadamente cada uma das cinco classes acima.

AS EMOÇÕES INSTINTIVAS

O instinto é definido como "impulso inconsciente, involuntário ou irracional para qualquer ação" ou "o impulso irracional natural pelo qual um animal é guiado para a execução de qualquer ação, sem pensar em melhorar o método". Como uma autoridade diz: "O instinto é um impulso natural que leva os animais, mesmo antes de qualquer experiência, a realizar certas ações tendentes ao bem-estar do indivíduo ou à perpetuação da espécie, aparentemente sem compreender o que supostamente devem visar, ou sem deliberar sobre os melhores métodos a serem empregados para atingir tal objetivo. Em muitos casos, como na construção das colmeias de abelha, há uma perfeição no resultado que o homem racional não poderia alcançar, exceto pela aplicação da matemática avançada para conduzir as operações realizadas. Darwin considera que os animais, no passado e agora, variam em suas qualidades mentais, e que essas variações são herdadas. Os instintos também variam ligeiramente em um estado de natureza. Sendo assim, a seleção natural pode, em última análise, levá-los a um alto grau de perfeição".

Antigamente, era moda atribuir o instinto, nos animais inferiores, e no homem, a algo semelhante a "ideias inatas" implantadas em cada espécie e posteriormente continuadas por herança. Mas a aplicação da ideia de evolução à ciência da psicologia resultou no afastamento dessas velhas concepções. Hoje ela sustenta que aquilo que chamamos de "instinto" é resultado do desenvolvimento gradual no curso da evolução; a experiência acumulada da raça seria armazenada na memória da raça, e cada indivíduo adicionaria um pouco a isso por meio de seus hábitos adquiridos e experiências. Os psicólogos agora sustentam que as formas inferiores dessas tendências são muito semelhantes às ações puramente reflexas, e as formas superiores, conhecidas como "emoções instintivas", são fenômenos da mente subconsciente resultantes da memória e da experiência humana.

Clodd diz: "O instinto é a forma superior de ação reflexa. O salmão migra do mar para o rio, o pássaro faz seu ninho ou migra de uma zona para outra por um caminho invariável, mesmo deixando para trás seus filhotes a perecer, a abelha constrói sua célula de seis lados, a aranha tece sua teia, o pintinho abre caminho pela casca, equilibra-se e colhe grãos de milho, o recém-nascido suga o seio da mãe – tudo em virtude de atos semelhantes por parte de seus ancestrais, que, surgindo das necessidades da criatura e gradualmente se tornando automáticos, não variaram durante muito tempo. A tendência de repeti-los foi transmitida do germe do qual um inseto, peixe, pássaro e homem surgiram separadamente".

Schneider diz: "É fato que os homens, especialmente na infância, temem entrar em uma caverna escura ou em uma floresta sombria. Esse sentimento de medo surge, com certeza, em parte do fato de que facilmente suspeitamos que bestas perigosas podem se esconder nessas localidades – uma suspeita devido a histórias que ouvimos e lemos. Mas, por outro lado, é certo que esse medo a uma certa percepção também é herdado diretamente. Crianças que foram cuidadosamente protegidas de todas as histórias de fantasmas ficam, no entanto, apavoradas e choram se conduzidas a um lugar escuro, especialmente se sons são ouvidos ali. Até um adulto pode facilmente observar que uma incômoda timidez se apodera dele em uma floresta solitária à noite, embora possa ter a convicção fixa de que nem o menor perigo está próximo. Esse sentimento de medo ocorre em muitos homens até mesmo em suas próprias casas após o anoitecer, embora seja muito mais forte em uma caverna ou floresta escura. Tal medo instintivo é facilmente explicável quando consideramos que nossos ancestrais selvagens por gerações imemoráveis estavam acostumados a se encontrar com feras perigosas em cavernas, especialmente ursos, e eram em sua maioria atacados por essas feras durante a noite e na floresta, e que, portanto, uma associação inseparável entre as percepções de escuridão, cavernas, bosques e medo ocorreu e foi herdada".

James diz: "Nada é mais comum do que a observação de que o homem difere das criaturas inferiores pela quase total ausência de instintos e pela suposição de seu trabalho nele pela razão. Podemos dizer com segurança que, por mais incertas que as reações do homem sobre seu ambiente possam às vezes parecer em comparação com as dos mamíferos inferiores, a incerteza provavelmente não se deve à posse de quaisquer princípios de ação que lhe faltem. Ao contrário, o homem tem todos os mesmos impulsos que o animal, e muitos mais além disso. Os lugares altos também causam medo muito grande, embora aqui novamente dependa de cada indivíduo. O caráter instintivo totalmente cego dos impulsos motores aqui é mostrado pelo fato de que eles são quase sempre totalmente irracionais, mas essa razão não é suficiente para suprimi-los.

"Certas ideias de ação sobrenatural, associadas a circunstâncias reais, produzem um tipo peculiar de horror. Esse horror é provavelmente explicável como resultado de uma combinação de medos simples. Para elevar o terror fantasmagórico ao máximo, muitos elementos incomuns devem se combinar, como solidão, escuridão, sons inexplicáveis, especialmente de caráter sombrio, imagens em movimento mal discernidas (ou, se discernidas, de aspecto terrível) e uma ansiedade proeminente. Em vista do fato de que imagens cadavéricas, reptilianas e subterrâneas desempenham um papel tão específico e constante em muitos pesadelos e formas de delírio, não parece totalmente imprudente perguntar se essas imagens e circunstâncias terríveis podem ter sido mais normais no ambiente do que agora. O evolucionista não deve ter dificuldade de explicar esses terrores e o cenário que os provoca como recaídas na consciência dos homens das cavernas, uma consciência geralmente sobreposta em nós por experiências mais recentes."

A emoção instintiva se manifesta como um impulso que surge dos recônditos obscuros do sentimento ou da natureza emocional – um incentivo para um fim vagamente consciente. Ela difere da natureza quase puramente automática de certas formas de processo reflexo, pois seu início é um sentimento que surge das regiões subconscientes, que se esforça para excitar uma atividade da vontade consciente. O sentimento vem do subconsciente, mas a atividade é consciente. O fim pode não ser percebido na consciência, ou pelo menos é apenas vagamente percebido, mas a ação que leva ao fim é plenamente consciente. O instinto tem origem nas experiências passadas da raça humana, transmitidas pela hereditariedade e preservadas na memória humana. Ele tem por objetivo a preservação do indivíduo e da espécie. Seu objetivo frequentemente está distante do momento atual, ou visa o bem-estar da espécie em vez do bem-estar do indivíduo. Para exemplificar, a lagarta ao armazenar nutrientes para seus estágios futuros, o pássaro ao construir seu ninho, as abelhas ao construir colmeias e fornecer mel para seus sucessores – pois poucas abelhas vivem para compartilhar do mel que coletaram e armazenaram – são motivados pelo "espírito da colmeia".

As formas mais elementares das emoções instintivas são aquelas que têm a ver com a preservação do indivíduo, seu conforto e bem-estar físico pessoal. Essa classe de emoções compreende o que geralmente é conhecido como sentimentos puramente "egoístas", tendo pouca ou nenhuma preocupação com o bem-estar dos outros. Nessa categoria encontramos os sentimentos emocionais que dizem respeito à satisfação da fome e da sede, a obtenção de quartos confortáveis e roupas quentes e o espírito de combate e contenda que surge do desejo de obtê-los. Esses sentimentos elementares nasceram cedo na história da vida, e, de fato, a própria vida dependia deles materialmente para sua preservação e continuidade. Era necessário que o ser vivo primitivo fosse "egoísta". Quando o homem apareceu, apenas aqueles que manifestaram esses sentimentos com força sobreviveram – os outros foram empurrados contra a parede e morreram. Mesmo em nossa civilização, o homem abaixo da média nessa classe de sentimentos terá dificuldade para sobreviver.

Capítulo XIII

As paixões

Surgindo das emoções instintivas mais elementares, encontramos o que pode ser denominado de "paixões". Pelo termo "paixão" entende-se aqueles sentimentos fortes nos quais os instintos egoístas elementares se manifestam em relação a outras pessoas, seja na fase de atração ou repulsão. Nessa categoria encontramos as fases elementares do amor e os sentimentos de ódio, raiva, ciúme, vingança, etc. Essa classe de emoções se manifesta em geral violentamente em comparação às outras emoções. As paixões geralmente surgem da autopreservação, preservação e reprodução da espécie, interesse próprio, autoengrandecimento, etc., e podem ser consideradas como uma fase mais complexa das emoções instintivas elementares.

As emoções instintivas elementares de autopreservação e autoconforto fazem com que o indivíduo experimente e manifeste as emoções passionais de desejo de combate, raiva, ódio, vingança, etc., enquanto as emoções instintivas que levam à reprodução e continuação da espécie dão origem às emoções passionais do amor sexual, ciúme, etc. O desejo de atrair o outro sexo aumenta a ambição, a vaidade, o amor à exibição e outros sentimentos.

É somente quando essa classe de emoções se mistura com as emoções superiores que as paixões se tornam purificadas e refinadas. Mas não se deve esquecer que essas emoções eram muito necessárias para o bem-estar da espécie no estágio adiantado de sua evolução, e que ainda desempenham um papel ativo na vida humana, com maior ou menor restrição imposta pela sociedade civilizada. Nem deve ser esquecido que dessas emoções surgiu o amor mais elevado de um ser humano por outro.

Do amor sexual instintivo e do "instinto de preservação da espécie" desenvolveu-se a afeição mais elevada do homem pela mulher e da mulher pelo homem, em todas as suas belas manifestações – o amor dos pais pela criança e o amor da criança pelos pais. A primeira manifestação de altruísmo surge no amor da criatura viva por seu parceiro e no amor dos pais por sua prole. Em certas formas de vida em que a associação dos sexos é apenas momentânea e não é seguida de proteção, ajuda mútua e companheirismo, verifica-se ausência de afeição mútua de qualquer tipo, sendo o único sentimento um instinto reprodutivo elementar a aproximar o masculino e o feminino no momento – uma atividade quase puramente reflexa. Da mesma forma, nos casos de certos animais (a cascavel, por exemplo) em que os filhotes conseguem se proteger desde o nascimento, observa-se total ausência do afeto parental ou o retorno dele. O amor humano entre os sexos, em seus graus superiores e inferiores, é uma evolução natural da emoção passional de ordem inferior, devido ao crescimento da emoção social, ética, moral e estética decorrente das necessidades de complexidade crescente e desenvolvimento de vida humana.

As formas mais simples de emoção passional são quase inteiramente instintivas em sua manifestação. De fato, em muitos casos, parece haver pouco mais do que uma forma elevada de ação nervosa reflexa. As seguintes palavras de William James nos dão uma visão interessante desse fato da vida: "O gato corre atrás do rato, corre ou luta diante do cão, evita cair de paredes e árvores, foge do fogo e da água, não porque tenha noção de vida ou morte ou de autopreservação. Ele age assim em cada caso simplesmente porque não pode evitar. Ele é constrangido a agir de forma que, quando aquela coisa em particular chamada de rato aparece em seu campo de visão, ele deve perseguir; quando aquele cachorro barulhento aparece latindo, ele deve retirar-se se estiver distante, e arranhá-lo se estiver por perto; e deve retirar seus pés da água e seu rosto das chamas, etc. Agora, por que vários animais fazem o que nos parecem coisas tão estranhas na presença de estímulos tão estranhos? Por que a galinha, por exemplo, se submete ao tédio de chocar um conjunto de objetos terrivelmente desinteressantes como um ninho de ovos, a menos que tenha algum tipo de noção profética do resultado? A única resposta é *ad hominem*. Nós podemos somente interpretar o instinto dos animais pelo que conhecemos dos instintos de nós mesmos. Por que os homens sempre se deitam, quando podem, em camas macias, e não em pisos duros? Por que eles se sentam ao redor de uma lareira em um dia frio? Por que, em uma sala, eles se colocam, em 90% das vezes, com os rostos voltados para o meio, em vez de para a parede? Por que a donzela interessa tanto aos jovens que tudo nela parece mais importante e significativo do que qualquer outra coisa no mundo? Nada mais pode ser dito além de que são características humanas, e que toda criatura gosta de seus próprios caminhos e começa a segui-los como uma coisa natural. A ciência pode vir e considerar essas maneiras de agir e descobrir que a maioria delas é útil. Mas não são seguidas devido a sua utilidade, e sim porque, no momento de segui-las, sentimos que é a única coisa natural a fazer.

"Nenhum homem, ao jantar, pensa em sua utilidade. Ele come porque a comida é gostosa e o faz querer mais. Se você lhe perguntar por que ele quer comer mais daquele tipo de comida, em vez de reverenciá-lo como um filósofo, ele provavelmente vai rir de você como um tolo."

James continua: "É preciso, em resumo, o que Berkeley chamou de uma mente depravada pelo conhecimento para levar adiante o processo de fazer o natural parecer estranho até o ponto de perguntar o porquê de qualquer ato humano instintivo. Somente para o metafísico podem surgir questões como: por que sorrimos quando satisfeitos e não carrancudos? Por que não podemos falar para uma multidão como falamos para um único amigo íntimo? Por que uma donzela em particular nos deixa completamente perdido? O homem comum só pode dizer: 'Claro, nós sorrimos, claro, nosso coração palpita ao ver a multidão, claro, nós amamos a donzela – aquela bela alma vestida naquela forma perfeita, tão encantadoramente feita para ser amada!'. E assim, provavelmente, cada animal deve se sentir da mesma forma diante de coisas que tende a fazer na presença de objetos específicos. Eles também são sínteses, a priori. Para o leão, é a leoa que foi feita para ser amada; para o urso, a ursa. Para a galinha choca, deve ser horrível pensar que existam criaturas no mundo para quem um ninho de ovos não seja um objeto absolutamente fascinante, precioso e algo para se sentar sobre ele o dia todo. Assim, podemos ter certeza de que, por mais misteriosos que possam parecer os instintos de alguns animais, nossos instintos não serão menos misteriosos para eles. E podemos concluir que, para o animal que lhe obedece, cada impulso e cada passo desse instinto brilham com sua própria luz, e parecem no momento as únicas coisas certas e apropriadas a se fazer. Algo que pode ser feito exclusivamente para seu próprio bem".

Como regra, temos pouquíssima necessidade de desenvolver as emoções passionais. O instinto cuidou muito bem de que tenhamos nossa parte nessa classe de sentimentos. Mas é necessário treinar, restringir, governar e controlar essas emoções, pois as condições que deram origem a seu ser original mudaram. Nossas convenções sociais exigem que controlemos esses sentimentos passionais, pelo menos até certo ponto.

A sociedade insiste que devemos restringir nossos impulsos amorosos a certos limites e a certas partes, e que devemos subjugar nossa raiva e ódio, exceto em relação aos inimigos de nossa terra, os perturbadores da paz pública e aqueles que ameaçam as convenções sociais de nosso tempo e terra. O bem-estar público exige que inibamos nossos impulsos de luta, exceto em casos de legítima defesa ou guerra. A política pública exige que mantenhamos nossas ambições dentro de limites razoáveis, o que limita as mudanças de tempos em tempos, é claro. Em suma, a sociedade interveio e insistiu que o homem, como ser social, deve não apenas adquirir uma consciência social, mas também desenvolver emoções sociáveis e inibir suas emoções não sociais. A evolução da natureza do homem fez com que ele inconscientemente modificasse suas emoções elementares, instintivas e passionais, e as subordinasse aos ditames dos sentimentos e ideais sociais, éticos, morais e estéticos, e às considerações intelectuais. Até mesmo os instintos elementares originais dos animais foram modificados por causa das exigências sociais da matilha, rebanho ou unidade, até que o instinto modificado se tornasse agora a força dominante.

Os princípios gerais de controle emocional, contenção e domínio, conforme apresentados no capítulo anterior, são aplicáveis à classe particular de emoções agora analisadas aqui.

- (1) Ao abster-se da expressão física, pode-se inibir, pelo menos parcialmente, a emoção.
- (2) Recusando-se a criar o hábito, a pessoa pode manifestar controle com mais facilidade.
- (3) Recusando-se a insistir na ideia ou imagem mental do objeto excitante, pode-se diminuir o estímulo.
- (4) Cultivando a classe oposta de emoções, pode-se inibir qualquer classe de sentimento.
- (5) E, finalmente, adquirindo o controle da atenção, por meio da vontade, a pessoa tem as rédeas firmemente em mãos e pode conduzir ou deter os corcéis da paixão como quiser.

As paixões são como cavalos de fogo, úteis se bem controlados, mas mais perigosos se o controle for perdido. O ego é o excitador; a vontade, suas mãos; a atenção, as rédeas; o hábito, os freios; e as paixões, os cavalos. Para conduzir a carruagem da vida sob condições sociais, o ego deve ter mãos fortes (vontade) para apertar ou afrouxar as rédeas da atenção. Ele também deve empregar um pouco de hábito bem projetado.

Sem mãos fortes, rédeas boas e um freio bem ajustado, os corcéis de fogo da paixão podem ganhar o controle e, fugindo, lançar a carruagem e seu condutor sobre o precipício e sobre as rochas abaixo.

Capítulo XIV

As emoções sociais

À medida que o homem se tornou um animal social, desenvolveu novos traços de caráter, novos hábitos de ação, novos ideais, novos costumes e, consequentemente, novas emoções. As emoções por muito tempo manifestadas pela raça humana tornam-se mais ou menos instintivas e são transmitidas na forma de (a) estímulo herdado, mas em menor grau e força do que as emoções mais elementares, ou (b) como tendência herdada de manifestar o sentimento emocional adquirido mediante a apresentação de estímulos suficientemente fortes. Daí surge o que chamamos de "emoções sociais".

Sob a classificação de "emoções sociais" estão aquelas tendências adquiridas de ação e sentimento da raça humana que são mais ou menos altruístas e estão relacionadas ao bem-estar dos outros e aos deveres e obrigações de cada um com a sociedade e nossos semelhantes. Nessa categoria são encontradas as emoções que nos impelem a cumprir o que consideramos ou sentimos ser nosso dever com nossos vizinhos, e nossas obrigações e deveres com o Estado, conforme expresso em suas leis, nos costumes dos homens de nosso país ou nos ideais da comunidade. Em outra fase, ela se manifesta como simpatia, sentimento de solidariedade e "bondade" em geral. Em sua primeira fase, encontramos a virtude cívica, a inclinação para o cumprimento da lei, a honestidade, o "*fair play*" e o patriotismo. Em sua segunda fase, encontramos a simpatia pelos outros, a caridade, a ajuda mútua, a redução da pobreza e do sofrimento, a construção de asilos para órfãos e idosos, hospitais para os enfermos e a formação de sociedades filantrópicas em geral.

Em muitos casos, encontramos as emoções sociais, éticas e morais intimamente ligadas à emoção religiosa, e, para muitos, supõe-se que sejam praticamente idênticas, mas há uma grande diferença, apesar de sua associação frequente. Por exemplo, encontramos muitas pessoas de alta virtude cívica, de ideais morais exaltados e manifestando qualidades éticas do tipo mais avançado, que carecem dos sentimentos religiosos comuns. Por outro lado, encontramos com demasiada frequência pessoas que professam grande zelo religioso e aparentemente experimentam o sentimento emocional religioso mais intenso, mas que são deficientes em qualidades sociais, cívicas, éticas e morais, no melhor sentido desses termos. O objetivo de toda religião digna desse nome, no entanto, é encorajar emoções éticas e morais, bem como religiosas.

Devemos aqui fazer a distinção entre aqueles que manifestam as ações denominadas éticas e morais porque sentem necessidade disso e aqueles que apenas cumprem os requisitos convencionais por medo das consequências de sua violação. A primeira classe tem os verdadeiros sentimentos, gostos, ideais e inclinações sociais, éticos e morais, enquanto a segunda manifesta apenas os sentimentos elementares de autopreservação e prudência egoísta. O primeiro grupo é de pessoas "boas" porque se sentem assim e acham natural ser assim. O outro grupo é "bom" meramente porque tem de ser ou será punido com a pena legal ou opinião pública, perda de prestígio, perda de apoio financeiro etc.

Acredita-se que as emoções sociais, morais e éticas tenham surgido em razão da associação de indivíduos em comunidades e do surgimento da necessidade de ajuda mútua e tolerância. Mesmo muitas das espécies dos animais inferiores têm códigos sociais, morais ou éticos próprios baseados na experiência da espécie ou família, e cujas infrações são severamente punidas. Do mesmo modo supõe-se que a simpatia e os sentimentos altruístas tenham surgido. A comunhão de interesse e compreensão na tribo, família ou clã trouxe não apenas o sentimento de defesa e proteção naturais, mas também o sentimento mais refinado e interno de empatia pelas dores e sofrimentos de seus associados. Isso, no progresso da espécie humana, se desenvolveu em ideais e sentimentos mais amplos e complexos.

A teologia explica os sentimentos morais como resultantes da consciência, que considera ser uma faculdade especial da mente, ou alma, divinamente concedida. A ciência, embora admita a existência do estado de sentimentos que chamamos de "consciência", nega sua origem sobrenatural e a atribui ao resultado da evolução, hereditariedade, experiência, educação e sugestão. A consciência, de acordo com a ciência, é um composto de estados intelectuais e emocionais. A consciência não é um guia invariável ou infalível, mas depende inteiramente da hereditariedade, educação, experiência e ambiente do indivíduo. Acompanha os códigos morais e éticos da espécie humana, que variam com o tempo e com o país.

Ações aceitáveis há um século são condenadas agora; da mesma forma, coisas condenadas há um século são possíveis nos dias de hoje. O que é elogiado na Turquia é condenado na Inglaterra, e vice-versa. Os gostos e ideais morais, como os estéticos, variam com o tempo e o país. Não há nenhum código absoluto que foi sempre verdadeiro, em todos os lugares. Há uma evolução nos ideais da moral e da ética como em tudo o mais, e a "consciência" e as emoções morais e éticas acompanham os ideais em mudança.

Muitos dos princípios morais e éticos surgiram originalmente da necessidade ou utilidade, mas desde então se desenvolveram em um sentimento natural e espontâneo por parte da espécie humana. Afirma-se que a espécie está desenvolvendo rapidamente uma "consciência social" que causará a extinção de muitas condições sociais que agora são a desgraça da civilização. Prevê-se que com o tempo olharemos para trás, para a existência da pobreza em nossa civilização, assim como nossa geração agora olha para trás para a existência de escravidão, prisão por dívidas, pena de morte por roubo de pão, morte de prisioneiros de guerra, etc. Pensa-se que, com o tempo, as guerras de conquista serão consideradas totalmente imorais, como hoje é considerado o assassinato de homens por um bando de piratas ou bandidos. Da mesma forma, a escravidão econômica de hoje será vista como imoral, como agora parece a escravidão física do passado. Em um tempo não muito distante, parecerá incrível que a sociedade pudesse algum dia ter permitido que um de seus membros morresse de fome nas ruas, ou de pobreza e desatenção no quarto de um casebre. Não apenas os ideais e sentimentos de responsabilidade ética e moral mudarão e evoluirão, mas também os sentimentos de empatia pessoal evoluirão de acordo com isso. Pelo menos esse é o sonho e a profecia de alguns dos maiores pensadores do mundo.

As emoções sociais, éticas e morais podem ser desenvolvidas por um estudo da evolução e do significado da sociedade, por um lado, e pela percepção da condição de vida dos indivíduos menos afortunados, por outro. O primeiro despertará novas ideias sobre a história e o real significado da associação social e da relação mútua, e desenvolverá um novo senso de responsabilidade, dever e orgulho cívico e social. A segunda despertará compreensão e simpatia, e um desejo de fazer o que pudermos para ajudar aqueles que estão "vivendo como cães", e também para trazer um melhor estado de coisas em geral. O estudo da história e da civilização, da sociologia e da cidadania, ajudará muito na primeira direção. O estudo da espécie humana e de seus problemas e condições de vida fará o mesmo no segundo caso. Em ambos, será despertado um novo senso de "certo e errado" – uma nova concepção de "deve e não deve" – em relação às relações de alguém com a espécie humana, a sociedade e seus semelhantes.

Que ninguém se engane com a presunçosa suposição de que a espécie emergiu inteiramente da barbárie e agora está habitando em uma onda superior da civilização. A verdade, como é sabido por todos os pensadores cuidadosos e conscienciosos, é que somos apenas metade civilizados, se é que tanto. Muitos de nossos costumes e convenções são de um povo meio bárbaro. Nossos ideais são baixos; nossos costumes, muitas vezes vis. Não apenas não temos ideais elevados, como também, em muitos casos, mostramos falta de sanidade em nossas convenções sociais. Mas a evolução está nos movendo lentamente para a frente. Um dia melhor está amanhecendo. Os sinais estão no ar, para serem vistos por todos os homens atenciosos. A civilização está subindo a escada, auxiliada pela evolução das emoções sociais, éticas e morais e pelo desenvolvimento do intelecto.

Em relação a essa fase das emoções, convidamos o aluno a considerar as seguintes excelentes palavras do professor Davidson em *História da Educação Grega*: "Não é suficiente para um homem compreender as condições da vida racional em seu próprio tempo. Ele também deve amar essas condições e odiar tudo o que leva à vida de um tipo oposto. Essa é apenas outra maneira de dizer que ele deve amar o bem e odiar o mal, pois o bem é simplesmente o que conduz à vida racional ou moral, e o mal simplesmente o que conduz para longe dela. É perfeitamente óbvio, assim que é apontado, que toda vida imoral se deve a uma falsa distribuição de afeição, o que também é, frequentemente, embora nem sempre, devido à falta de cultivo intelectual. Aquele que atribui a qualquer coisa um valor maior ou menor do que realmente tem, na ordem das coisas, já se colocou em uma falsa relação, e certamente, quando vier a agir com referência a isso, agirá imoralmente".

Capítulo XV

As emoções religiosas

Por "emoções religiosas" entende-se aquela classe de sentimento emocional que surge da fé e crença ou consciência da presença de seres, poderes, entidades ou forças sobrenaturais. Essa forma de emoção é considerada distinta das emoções éticas e morais, embora frequentemente seja encontrada em conexão com elas. Da mesma forma, é independente de qualquer forma especial de crença intelectual, pois é muito mais fundamental e frequentemente existe sem credo, filosofia ou crença declarada. A única manifestação em tais casos é um "sentimento" da existência de seres sobrenaturais, forças e poderes com os quais o homem tem relação e aos quais deve obediência. Para aqueles que podem pensar que essa é uma concepção muito estreita de emoção religiosa, referimo-nos à seguinte definição de "religião" dos dicionários: "Os atos ou sentimentos que resultam da crença de um deus, ou deuses, tendo controle superior sobre a matéria, vida ou destino. A religião é subjetiva, designando os sentimentos e atos dos homens que se relacionam com Deus. A teologia é objetiva, denotando a ciência que investiga a existência, as leis e os atributos de Deus", ou (objetivamente) "a forma externa e a corporificação que o espírito interior de uma devoção verdadeira ou falsa assume", (subjetivamente) "o sentimento de veneração com que o adorador considera o Ser que adora".

Darwin, em *Descent of Man*, diz que o sentimento de devoção religiosa é altamente complexo, consistindo em amor, submissão completa a um superior exaltado e misterioso, forte senso de dependência, medo, reverência, gratidão, esperança por futuro e talvez outros elementos. Ele é da opinião de que nenhum homem pode experimentar uma emoção tão complexa antes de avançar em suas faculdades intelectuais e morais a um nível, pelo menos, moderadamente alto. As autoridades geralmente concordam com Darwin, embora o estudo mais recente da história da religião tenha mostrado que o sentimento religioso tem origem muito mais primitiva do que a indicada por Darwin.

É verdade que os animais inferiores não são considerados capazes de nada que se aproxime de um sentimento religioso, a menos que haja um sentimento que se aproxime na atitude do cachorro, do cavalo e de outros animais domésticos com seus donos. Mas o homem, tão logo é capaz de atribuir fenômenos naturais a uma causa e poder sobrenaturais, manifesta um sentimento e uma emoção religiosa rudimentares. Ele começa acreditando, temendo e adorando as forças e objetos naturais, como o sol, a lua, o vento, o trovão e o relâmpago, o oceano, os rios, as montanhas, etc. Alega-se que não existe nenhum objeto natural que não tenha sido deificado e adorado por algumas pessoas em algum momento da história da espécie humana. Mais tarde, o homem adquiriu a concepção antropomórfica de divindades e criou muitos deuses à sua imagem, dotando-os de seus próprios atributos, qualidades e características. As características mentais e a moral de um povo podem ser sempre ser percebidas por um conhecimento da concepção média da deidade venerada por eles. O politeísmo, ou a crença em muitos deuses, foi sucedido pelo monoteísmo, ou pela crença em um único deus.

O monoteísmo vai desde a concepção mais crua de um deus homem até a mais alta concepção de um ser espiritual transcendendo todas as qualidades, atributos ou características humanas. O homem começou acreditando em muitos deuses coisas, então em muitos deuses pessoais, então em uma única pessoa de deus, então em um deus que é um espírito, depois em um espírito universal que é deus. Há uma enorme distância entre o deus selvagem e humano da Antiguidade até a concepção do Espírito Universal do "filósofo bêbado de Deus", Spinoza. O extremo da crença religiosa é aquele que sustenta que "não há nada além de Deus – todo o resto é ilusão", do idealismo panteísta.

O budismo (pelo menos em sua forma original) descartou a ideia de um ser supremo e sustentou que a realidade final é apenas uma lei universal: daí a acusação de que o budismo é uma "religião ateísta", embora seja uma das maiores religiões do mundo, com mais de 400 milhões de seguidores.

Mas as crenças da pessoa religiosa podem ser consideradas como resultantes de processos intelectuais; seus sentimentos religiosos e emoções surgem de outra parte de seu ser mental. É o testemunho das autoridades de todas as religiões que a convicção religiosa é uma experiência interna, e não uma concepção intelectual. O elemento emocional está sempre ativo em manifestações religiosas em todos os lugares. A religião puramente intelectual não é nada além de uma filosofia. A religião sem sentimento e emoção é uma anomalia. Em toda verdadeira religião existe um sentimento de segurança interior e fé, amor, temor, dependência, submissão, reverência, gratidão, esperança e talvez medo. O elemento emocional deve estar sempre presente, não necessariamente na forma de excesso emocional, como no caso da histeria de reavivamento ou da dança dos dervixes girantes, mas pelo menos na forma do sentimento calmo e fervoroso de "aquela paz que ultrapassa a compreensão". Quando a religião se afasta da fase emocional, torna-se apenas uma "escola de filosofia", ou uma "sociedade de cultura ética".

O aluno não deve perder de vista a influência edificante da verdadeira emoção religiosa em razão de seu conhecimento de sua origem humilde. Como o lótus, que tem raízes na lama viscosa e imunda do rio, e seu caule nas águas lamacentas, estagnadas e sujas, mas sua bela flor desabrocha no ar claro e de frente para o sol, assim é o sentimento religioso responsável por alguns dos ideais e ações mais bonitas e edificantes da espécie. Se sua origem e história contêm muitas coisas que não são consistentes com os ideais mais elevados da espécie nos dias atuais, isso é culpa não da religião, mas da própria espécie humana.

A religião, como tudo na manifestação universal, é regida pelas leis da evolução, crescimento e desenvolvimento. Qual pode ser a religião do futuro, não sabemos. Mas os profetas da espécie humana estão sonhando com visões de uma religião muito maior do que a do dia a dia, já que a última é maior do que o fetichismo bruto do selvagem.

A seguinte citação de John Fiske "através da natureza ao deus" é apropriada neste lugar. Fiske diz: "Meu objetivo é mostrar que 'essa outra influência', essa convicção interna, o desejo por uma causa final, a suposição teísta, é em si um dos fatos mestres do universo, e deve ser respeitada tanto quanto qualquer fato na natureza física deve ser. A discussão passou sobre mim cerca de dez anos atrás enquanto lia a controvérsia de Herbert Spencer com Frederic Harrison sobre a natureza e a realidade da religião. Como Spencer derivava historicamente a maior parte da crença moderna em um mundo invisível do mundo primitivo do selvagem de sonhos e fantasmas, alguns de seus críticos afirmavam que a consistência lógica exigia que ele descartasse a crença moderna como totalmente falsa, caso contrário, ele seria culpado de tentar produzir uma verdade a partir de algo falso. 'De forma alguma', respondeu Spencer. 'Ao contrário, a forma final da consciência religiosa é o desenvolvimento final de uma consciência que no início continha um germe da verdade obscurecido por uma infinidade de erros'". Fiske, nesse sentido, cita a pergunta tennysoniana:

"Quem forjou essa outra influência,
Esse calor da evidência interna,
Pela qual ele duvida contra o sentido?"

As emoções religiosas podem ser desenvolvidas permitindo que a mente habite sobre o poder subjacente ao universo de formas fugazes e mutáveis. Lendo prosa e poesia em que um apelo é feito ao instinto religioso, ouvindo música que desperta a emoção da reverência e do temor e, finalmente, meditando sobre o espírito interior imanente em cada ser vivo. Como um velho sábio hindu disse uma vez: "Há muitos caminhos pelos quais os homens chegam ao conhecimento da presença de Deus, mas há apenas um objetivo e destino".

Capítulo XVI

As emoções estéticas

Por “emoções estéticas” chamamos aqueles sentimentos emocionais que estão preocupados com a percepção da beleza ou do gosto, e pelas quais “gostamos” ou “não gostamos” de certas percepções de impressões sensoriais. Para se ter uma ideia mais clara, vamos considerar o que significa “beleza” e “gosto”.

“Beleza” é definida como “aquela qualidade ou conjunto de qualidades em um objeto que dá ao olho ou ao ouvido um prazer intenso, ou uma característica em um objeto que gratifica o intelecto ou o sentimento moral.” “Gosto” (nesse sentido do termo) é definido como “boa percepção, ou o poder de perceber e saborear a excelência nas performances humanas, o poder de apreciar as qualidades mais finas da arte, a faculdade de discernimento de beleza, ordem, congruência, proporção, simetria, ou o que constitui excelência, particularmente nas artes plásticas ou literatura, a faculdade da mente pela qual percebemos e desfrutamos o que é bonito ou sublime nas obras da natureza e da arte. A existência do bom gosto garante graça e beleza nas obras de um artista e evita tudo o que é baixo ou mesquinho. É geralmente o resultado de um senso inato de beleza ou decoro como a educação artística, e nenhum gênio pode compensar a falta dela. O gosto difere tanto entre indivíduos, nações ou idades e condições diferentes de civilização que é totalmente impossível propor um padrão de bom gosto aplicável a todos os homens e a todos os estágios da evolução da sociedade."

O senso estético, o sentimento e a emoção são produtos dos estágios posteriores da evolução da mente do homem. Suas raízes, no entanto, podem ser vistas nas tentativas brutas de decoração e adorno no homem selvagem, e mais rudimentarmente na tendência de certos pássaros de adornarem seus ninhos. Além disso, algum senso de beleza deve existir nos animais inferiores, que são influenciados assim na seleção de seus companheiros, na plumagem brilhante das aves e na coloração dos insetos e animais, evidenciando a existência de pelo menos um sentido primitivo de estética. Herbert Spencer diz que uma característica dos sentimentos estéticos é que eles são separados das funções vitalmente necessárias para sustentar a vida, e apenas após a razoável satisfação desses últimos que o senso estético começa a se manifestar com vigor.

As autoridades sustentam que o elemento básico relacionado à manifestação do sentimento emocional estético é o elemento sensorial, que consiste no prazer decorrente da percepção de objetos de visão ou audição que são considerados bonitos. Há certa satisfação nervosa que surge da percepção da sensação de ver uma coisa bonita, ou da audição de um belo som. É muito difícil determinar exatamente por que certas paisagens são agradáveis e outras desagradáveis, ou certos sons agradáveis e outros desagradáveis. A associação e o hábito podem ter algo a ver com a beleza do objeto visto, e pode haver harmonia natural de vibração nas cores como há no som. No caso dos sons há, sem dúvida, uma harmonia natural entre as vibrações de certas notas da escala e certa desarmonia entre outras. Alguns consideram que o segredo do prazer na música é encontrado na apreciação natural do ritmo, já que o ritmo é uma manifestação cósmica evidente em tudo, do grande ao pequeno. Mas essas teorias não explicam as diferenças existentes nos gostos em relação à cor e à música manifestadas por diferentes indivíduos, raças e classes de pessoas.

Grant Allen diz: “Os vulgares estão satisfeitos com grandes massas de cor, especialmente vermelho, laranja e roxo, que dão à sua organização grosseira e nervosa o estímulo necessário. Os refinados, com nervos de menor calibre, mas maior discriminação, gostam de combinações delicadas e complementares e preferem matizes neutros ao brilho das tonalidades primárias. Crianças e selvagens adoram se vestir com todas as cores do arco-íris”. Da mesma forma, pessoas de certos tipos de gosto estão satisfeitas com o "*rag time*" e músicas ou danças baratas, enquanto outras estremecem com elas e encontram prazer nas produções clássicas dos grandes compositores.

Há também o elemento intelectual a ser considerado nas emoções estéticas. O intelecto deve descobrir a beleza em certos objetos antes que a emoção seja despertada pela percepção. Halleck diz: "Cada vez que a mente discerne a unidade entre a variedade, a ordem, o ritmo, a proporção ou a simetria, uma emoção estética levanta-se. O viajante com um intelecto treinado verá muito mais beleza do que um ignorante.

"Ao olhar para uma catedral, grande parte do prazer estético vem de traçar a simetria, de comparar parte com parte. Até que esse processo esteja completo, não será percebida toda a beleza da estrutura como um todo. Se o viajante conhece algo de arquitetura medieval antes de começar sua viagem pela Europa, verá muito mais beleza. O oposto da estética, o que chamamos de feio, é o não simétrico, o desordenado – aquilo que é desprovido de ritmo, plano ou beleza."

O elemento de sugestão associativa também entra na manifestação do sentimento emocional estético. A mente aceita a sugestão da beleza de certos estilos de arte, ou a excelência de certas classes de música. Há modas passageiras na arte e a música, como nas roupas, e o que é visto como bonito hoje pode ser julgado como horrível amanhã. Isso não se deve inteiramente à evolução do bom gosto, pois, em muitos casos, as modas antigas são revividas e novamente consideradas bonitas.

Há, além disso, o efeito da associação do objeto da emoção com certos eventos ou pessoas. Essa associação torna a coisa popular e, portanto, agradável e bonita por certo tempo. A sugestão em uma história muitas vezes fará com que a beleza de determinada cena, ou a harmonia de determinada peça de música, encante milhares de pessoas. Algumas pessoas importantes definem o selo de aprovação em determinada imagem ou composição musical e pronto, a multidão chama isso de bonito. Não se deve supor, porém, que a multidão sempre falsifique esse senso de beleza e excelência que lhe é sugerido. Pelo contrário, um sentimento genuíno de estética muitas vezes resulta desse tipo de descoberta.

Há estilo e moda no uso das palavras, resultantes da moda, o que dá origem a sentimentos estéticos em relação a elas. Esses sentimentos não surgem da consideração da natureza do objeto expressa pela palavra. De duas palavras designando a mesma coisa, uma causa nojo, e a outra, pelo menos uma tolerância passiva. Por exemplo, ao falar da umidade que é emitida dos poros da pele, podemos usar qualquer um dos respectivos termos "suor" ou "transpiração". Ambos significam a mesma coisa e têm origem igualmente respeitável. Mas, para muitas pessoas, a palavra "suor" causa uma emoção estética desagradável, enquanto "transpiração" é aceita sem protesto. Algumas pessoas abominam o termo "mantimentos", enquanto "provisões" ou "comida" são aceitos sem protesto. Muitas vezes há uma associação desagradável, baixa e vulgar ligada a algumas palavras que explicam o desfavor com o qual são recebidas, e cuja associação está ausente dos termos mais "educados" empregados para indicar a mesma coisa. Mas, em outros casos, não há nada além da simples sugestão de moda e estilo para explicar a aceitação ou rejeição estética.

É possível que algum psicólogo do futuro estabeleça a verdade da teoria agora provisoriamente avançada por alguns investigadores, ou seja, de que o gosto e o senso de beleza dependem quase inteiramente do elemento de sugestão, manifestado como associação, influência de autoridade, hábito, moda, imitação, etc. Sabe-se que a natureza emocional é passível de sugestão, e que os gostos podem ser criados ou destruídos por sugestões repetidas sob circunstâncias mais favoráveis. É provável que, se pudéssemos rastrear até suas raízes cada emoção estética, a descobriríamos surgindo de alguma influência associativa e sugestiva conectada com outra classe mais elementar de emoções.

A respeito do fato de que não há nenhum padrão universal do gosto ou da beleza, Halleck diz: "Foi dito que a estética não pode ser tratada de forma científica porque não há um padrão estético universal. Como diz o antigo provérbio: 'gosto não se discute'. De duas pessoas igualmente inteligentes, uma pode gostar de certo livro, a outra pode detestá-lo. Embora seja verdade que o padrão de gosto varia dentro de certos limites, não é mais do que o da moral.

Como o sistema nervoso, a educação e as associações dos homens diferem, podemos concluir cientificamente que seus gostos devem ser diferentes. Quanto maior a uniformidade nos fatores, menor a variação do produto. Por outro lado, dentro de certos limites, o padrão estético é relativamente uniforme. É estipulado pela maioria das pessoas inteligentes de qualquer idade e país. Para estimar o padrão pelo qual julgar a correção da linguagem ou do gosto literário de qualquer época, examinamos as conversas dos melhores oradores, as obras dos principais escritores".

As emoções estéticas podem ser desenvolvidas e cultivadas pelo exercício e pela prática, e particularmente pela associação e familiaridade com coisas bonitas e com aqueles que têm "bom gosto". A apreciação da beleza é mais ou menos contagiosa, pelo menos até certo ponto, no desenvolvimento. E, se alguém deseja reconhecer, compreender e apreciar a beleza, deve ir aonde a beleza está e onde seus devotos estão reunidos. O estudo de obras de arte padrão, ou objetos da natureza, ou as melhores produções dos compositores, fará muito para desenvolver e revelar sentimentos e compreensão estéticos mais elevados.

Algumas das melhores autoridades afirmam que, para desenvolver melhor sentimentos estéticos superiores e compreensão, devemos aprender a encontrar beleza e excelência em coisas distantes de nós mesmos ou de nossos interesses egoístas. As emoções estreitas e egoístas matam os sentimentos estéticos – os dois não podem existir juntos. As pessoas cujos pensamentos estão centrados nele ou nela muito raramente encontram beleza ou excelência em obras de arte ou música. Grant Allen resume bem o assunto: “Bom gosto é o produto progressivo da finura progressiva e discriminação nos nervos, atenção educada, alta e nobre constituição emocional e aumento das faculdades intelectuais”.

Capítulo XVII

As emoções intelectuais

Por "emoções intelectuais" entende-se aquela classe de sentimentos e emoções resultante da presença de situações de interesse intelectual. Essa classe de emoções depende, para sua satisfação, do exercício das capacidades intelectuais, das mais simples às mais complexas, incluindo percepção, memória, imaginação, razão, julgamento e todas as habilidades lógicas. Aqueles que estão acostumados a empregar a mente por meio da atenção voluntária, especialmente na direção da concepção ou imaginação construtiva, experimentaram essas emoções em um grau maior ou menor.

Através do exercício da percepção, se formos habilidosos, teremos uma sensação de prazer, e, se conseguirmos ter uma descoberta interessante ou importante por causa disso, experimentaremos um forte grau de satisfação emocional. Do mesmo modo, experimentamos sentimentos agradáveis quando somos capazes de nos lembrar perfeitamente de algo que poderia muito bem ter sido esquecido, ou quando conseguimos lembrar algo que havia escapado da memória por um instante. Além disso, o exercício da imaginação é uma fonte de grande prazer, em muitos casos, para escrever, planejar, inventar ou realizar outros processos criativos, ou mesmo na construção de castelos de areia. O exercício do raciocínio lógico dá um enorme prazer para quem tem essas habilidades bem desenvolvidas.

Halleck diz que "Provavelmente não houve um momento mais feliz na vida de Newton do que quando ele conseguiu demonstrar que a mesma força que fez com que a maçã caísse mantinha a lua e os planetas em suas órbitas. Quando Watts descobriu que o vapor poderia ser aproveitado como energia (cv), quando um inventor consegue aperfeiçoar um dispositivo para redução de mão de obra, sempre que uma obscuridade é removida, a razão de uma coisa é compreendida e uma situação desconcertante é esclarecida por uma lei geral, resulta em inteligência emocional".

A sensação prazerosa que experimentamos ao ler um bom livro ou ao descobrir uma poesia é uma forma de inteligência emocional. Essa mesma natureza de sentimento emocional é despertada quando assistimos a um bom jogo. Em outros exemplos dessa categoria, mencionamos a percepção de trabalho inteligente de qualquer tipo, maquinário complexo, dispositivos engenhosos, melhorias úteis ou outras obras do homem que indiquem a existência de pensamento e capacidade inventiva do desenhista ou construtor. Para apreciar um trabalho mental desse tipo, devemos cultivar uma mente desenvolvida nas mesmas linhas ou similares. Dizem que, antes que alguém possa tirar qualquer coisa de um livro, ele deve trazer algo para ele. É preciso ter uma mentalidade desenvolvida para reconhecer e apreciar a mentalidade ou o trabalho dela.

O estudo de assuntos científicos é uma fonte de grande prazer para aqueles que estão envolvidos com tais atividades. Para a mente científica, o estudo de um trabalho recente em sua área favorita promove uma alegria que nada mais é capaz de despertar. Para o filósofo, as obras de outros filósofos da mesma escola promovem intensa satisfação.

Defende-se que senso de humor e sagacidade são inteligência emocional, pois dependem do reconhecimento das características cômicas de um acontecimento. Determinados psicólogos sustentam que a característica elementar do humor é o sentimento que acompanha a percepção do contraditório, enquanto a sagacidade é o sentimento de superioridade por parte da pessoa espirituosa, e a decepção correspondente do objeto de sua análise. Parece, entretanto, que a apreciação do humor depende da percepção intelectual da habilidade de expressão e do prazer resultante de sua descoberta, e que o sentimento de humor é despertado principalmente por causa do elemento incoerente; o sentimento de autossatisfação em contraste com o desconforto de outra pessoa pertence ao conjunto de emoções mais egoístas. Uma autoridade diz: o "Humor é uma habilidade mental que tende a descobrir semelhanças incoerentes entre coisas que diferem essencialmente, ou diferenças essenciais entre coisas retratadas como iguais, tendo como resultado uma alegria interna ou uma explosão de riso. A inteligência faz o mesmo, mas os dois são diferentes. O humor tem profunda simpatia humana e ama os homens enquanto ri de suas fraquezas. A inteligência é deficiente em simpatia, e frequentemente há uma pitada de ironia. Um tanto desdenhosa de humanidade, não tem paciência para estudá-la a fundo, mas se contenta em notar semelhanças ou diferenças superficiais. O humor é paciente e observador, e penetra abaixo da superfície, enquanto as jogadas da inteligência são muitas vezes unilaterais e injustas, e as de humor são, geralmente, justas e sábias".

O desenvolvimento e o cultivo da inteligência emocional dependem, é claro, da disciplina, do treinamento, do exercício e da prática. O cultivo do intelecto (a que nos referimos, em parte, nos capítulos anteriores deste livro, e que será novamente considerado nos capítulos dedicados ao intelecto) resulta no desenvolvimento e no cultivo das emoções que acompanham o empenho intelectual. De uma forma geral, porém, pode-se dizer que a leitura das melhores obras da ficção, ciência e filosofia trará com o tempo a melhor forma de prazer intelectual e sentimento. O maior dá o melhor – essa é a regra. O presente capítulo deve ser lido e estudado em conexão com aqueles dedicadas ao intelecto.

SENTIMENTOS MISTOS

Como dissemos no início de nossas considerações sobre o assunto das emoções, a maioria das emoções é composta de vários sentimentos e tende a misturar e combinar elementos emocionais. Por exemplo, a sexualidade certamente tem origem no sentimento instintivo da raça, e seu elemento motivador é a paixão. Mas a paixão está longe de ser tudo o que existe na sexualidade humana. Acima do plano da paixão é encontrada a emoção social de companheirismo, proteção e cuidado; o desejo pelo bem-estar da pessoa amada; a mistura do amor do pai com o do companheiro. O amor humano manifesta muitas das emoções altruístas durante seu curso. O bem-estar do ente querido torna-se a principal preocupação da vida, muitas vezes mais forte ainda do que a autopreservação. A alegria do ente querido torna-se a maior alegria, superando de longe as formas mais egoístas de felicidade. Em seguida vêm os sentimentos estéticos, que encontram satisfação em os dois "gostarem das mesmas coisas", sendo a simpatia e a comunhão de sentimentos os elos entre eles. Combinando os vários ideais dos dois, é gerada uma união idealista que muitas vezes é chamada de "encontro de almas". E, finalmente, a fusão da inteligência emocional, em que essa harmonia cria uma das maiores formas de satisfação do prazer entre duas pessoas de sexos opostos. Diz-se que, quanto mais coisas um homem e uma mulher "apreciam" em comum, maior será o seu "apreço" um pelo outro. “Eu te amo porque você ama as coisas que eu amo” é um pensamento comum.

Portanto, é visto que, embora nascida no instinto elementar e na paixão, a sexualidade humana é algo muito diferente em seu florescimento. E ainda sem sua raiz não seria e não poderia ser. Esse é um excelente exemplo de uma natureza complexa das emoções mais comuns. Pode ser usado como uma ilustração típica. O que é verdade sobre isso também é verdade, de alguma forma e em certo grau, de qualquer outra forma de emoção. Portanto, ao estudar uma emoção particular, não se precipite em dizer “É isto; é aquilo!”, mas sim diga “é composto deste e daquele, disto e daquilo!”. Poucas emoções são simples; a maioria é muito complexa. Daí a dificuldade de uma classificação satisfatória e o perigo de uma definição dogmática.

Capítulo XVIII

O papel das emoções

A pessoa mediana subestima muito o papel desempenhado pela natureza emocional nas atividades mentais do indivíduo. Ela está propensa a acreditar que, com exceção das manifestações ocasionais de algum forte sentimento emocional, a maioria das pessoas passa pela vida usando apenas o raciocínio e as habilidades reflexivas na resolução de problemas a fim de orientar o curso da ação mental. Não pode haver maior engano em relação às atividades mentais. Longe de ser subordinada ao intelecto, a natureza emocional na maioria dos casos domina as faculdades de raciocínio. Poucas pessoas são capazes de se desligar, mesmo em pequeno grau, dos sentimentos e de decidir questões a sangue-frio, por pura razão ou empenho intelectual. Além disso, há ainda menos pessoas cujas vontades são guiadas pela pura razão; os sentimentos fornecem o motivo para a maioria dos atos de vontade. O intelecto, mesmo quando usado, é geralmente empregado para melhor cumprir as ordens dos sentimentos e dos desejos. Muito de nosso raciocínio é realizado a fim de justificar nossos sentimentos, ou para encontrar provas para a situação ditada por nossos desejos, sentimentos, simpatias, preconceitos ou sentimentos. Já foi dito que "os homens não buscam razões, mas desculpas para as suas ações".

Além disso, nos processos elementares do intelecto, as emoções atuam em uma parte importante. Vimos que a atenção segue em grande parte o interesse, e o interesse resulta do sentimento. Portanto, nossa atenção, e o que surge a partir dela, depende em grande parte dos sentimentos. Com isso, o sentimento afirma seu poder de guardar a porta do conhecimento e determina em grande parte o que deve ou não entrar nela. É um dos paradoxos constantes da psicologia que, embora os sentimentos tenham surgido originalmente da atenção, é igualmente verdade que a atenção depende muito do interesse resultante dos sentimentos. Isso é prontamente admitido no caso da atenção involuntária, que sempre vai em direção a objetos e sentimentos de interesse, mas é igualmente verdadeiro até mesmo para a atenção voluntária, que direcionamos para algo maior ou mais próximo ao interesse final do que para as coisas de menor ou maior imediatismo.

Sully diz: "Por um ato de vontade, posso voltar minha atenção para qualquer coisa. Mas se, após um processo preliminar do ajuste do foco mental, o motivo em si não criar nenhuma mudança interessante, toda a vontade do mundo não produzirá um estado de concentração calmo e estável. A vontade encabeça mente e finalidade, não pode forçar uma ligação entre elas. Nenhum compromisso de atenção jamais conseguiu fazer uma criança abraçar cordialmente e se apropriar, por um ato de concentração, uma causa inadequada e desinteressante. Vemos, portanto, que mesmo a atenção voluntária não é afastada do domínio do interesse. O que a vontade faz é determinar o tipo do interesse que prevalecerá nesse momento".

Mais uma vez, podemos ver que a memória é em grande parte dependente do interesse em registrar e relembrar suas impressões. Lembramos e nos recordamos mais facilmente daquilo que nos interessa. Quanto maior a falta de interesse em uma coisa, maior será a dificuldade de lembrar ou recordar aquilo. Isso é igualmente verdadeiro para a imaginação, pois ela se recusa a pensar naquilo que não é interessante. Mesmo nos processos de raciocínio, encontramos a vontade resistindo a assuntos desinteressantes, mas caminhando a passos largos para a área de seu interesse.

Nossos julgamentos são afetados por nossos sentimentos. É muito mais fácil aprovar as ações de alguma pessoa de que gostamos, ou cujos pontos de vista estão de acordo com os nossos, do que de um indivíduo cuja personalidade e pontos de vista nos desagradam. É muito difícil evitar que o preconceito, a favor ou contra, influencie nossos julgamentos. Também é verdade que "encontramos aquilo que procuramos" nas coisas e nas pessoas, e aquilo que esperamos e procuramos muitas vezes depende de nossos sentimentos. Se não gostamos de uma pessoa ou coisa, geralmente somos capazes de perceber inúmeros fatores indesejáveis naquilo; já se estamos favoravelmente inclinados, facilmente encontramos muitas qualidades admiráveis na mesma pessoa ou coisa. Uma pequena mudança em nosso sentimento muitas vezes resulta na formação de um conjunto inteiramente novo de julgamentos em relação a uma pessoa ou coisa.

Halleck diz que "Por um lado as emoções são favoráveis à ação intelectual, uma vez que elas fornecem o interesse que se sente em estudo. A pessoa pode conhecer intensamente determinado assunto e ser um aluno ainda melhor. Portanto, as emoções não são, como se pensava anteriormente, inteiramente hostis à ação intelectual. A emoção muitas vezes acelera a percepção, eleva coisas infinitamente na memória e duplica a rapidez de pensamento. Por outro lado, sentimentos fortes muitas vezes corrompem todas as operações do intelecto. Eles nos fazem ver apenas o que desejamos e lembrar apenas o que interessa aos nossos limitados sentimentos no momento e apenas a partir de elementos egoístas. A emoção coloca a extremidade amplificada do telescópio virada para nossos olhos intelectuais no que diz respeito aos nossos próprios interesses, e a extremidade reduzida quando olhamos para os interesses dos outros. O pensamento é desviado quando passa por um meio emocional, assim como um raio de sol quando atinge a água".

As maiores autoridades sustentam que a vontade é quase, se não inteiramente, dependente do desejo por sua força motriz. Como o desejo é uma consequência e desenvolvimento do sentimento e da emoção, vê-se que mesmo a vontade depende do sentimento por seus motivos incitadores e sua direção. Devemos considerar esse ponto com mais detalhes nos capítulos dedicados às atividades da vontade.

Gostaríamos de lembrá-lo novamente, neste ponto, do grande triângulo da mente, das atividades emocionais, ideativas e volitivas – sentimento, pensamento e vontade – e sua constante reação mútua e interdependência absoluta. Descobrimos que nossos sentimentos surgem de vontades e de concepções anteriores, e são despertados por ideias e reprimidos pela vontade. Novamente vemos que nossas ideias são em grande parte dependentes do interesse fornecido por nossos sentimentos, e que nossos julgamentos são influenciados pelo lado emotivo de nossa vida mental, a vontade também tendo papel a desempenhar no assunto. Vemos também que a vontade é chamada à atividade pelos sentimentos, e frequentemente guiada ou contida por nossos pensamentos, mas, na verdade, a vontade é movida inteiramente por nossos sentimentos e ideias. Assim é a trindade de forças mentais vista sempre em relação mútua – ação e reação constantes sempre existindo entre elas.

Capítulo XIX

As emoções e a felicidade

"Felicidade" foi definida por uma autoridade como "a emoção prazerosa que surge da satisfação de todos os desejos, o prazer sem dor". Outro disse que a "felicidade é o estado em que todos os desejos são realizados". Mas essas definições foram atacadas. Muitos afirmam que um estado de satisfação absoluta do desejo não seria felicidade, pois a felicidade consiste em grande parte na antecipação e em imaginações agradáveis que desaparecem com a realização do desejo. Afirma-se que a satisfação absoluta seria um estado negativo. Paley expressou melhor essa ideia quando disse que "qualquer condição pode ser denominada 'feliz' quando a quantidade ou agregação de prazer excede a de dor, e o grau de felicidade depende da quantidade desse excesso".

Alguns sustentaram que a existência de um contraste entre dor e prazer (sendo o equilíbrio a favor do último) é necessária para estabelecer a felicidade. Seja como for, todos admitem que a felicidade ou infelicidade de uma pessoa depende inteiramente de sua natureza emocional e do grau de satisfação dela. E geralmente todos concordam que ser feliz é o grande objetivo e finalidade da vida da maioria das pessoas – se não de todas elas. A felicidade, é claro, depende da qualidade e do estado das emoções que formam a natureza emocional da pessoa. Assim, é visto que somos dependentes do lado emocional de nossa vida mental, assim como em quase tudo o mais que faz a vida valer a pena.

Os teólogos muitas vezes procuram mostrar que a felicidade não é o objetivo da vida e da existência, mas a humanidade sempre insistiu na felicidade como um objetivo máximo, e geralmente apoiado pela filosofia. Mas a sabedoria mostra que a felicidade nem sempre depende do prazer do momento, pois a abstenção do prazer imediato frequentemente resulta em uma felicidade muito maior no futuro. Da mesma forma, uma tarefa momentânea desagradável muitas vezes nos traz uma satisfação maior no futuro. Também, constantemente é melhor sacrificar um prazer pessoal pela felicidade dos outros do que desfrutar um prazer momentâneo à custa da dor do outro. É comum sentir um prazer muito maior resultante de uma ação altruísta de sacrifício do que da realização de um ato individualista e egoísta. Mas, como o raciocínio sutil pode insistir, o resultado é o mesmo – a felicidade e a satisfação finais do eu. Essa conclusão não rouba o ato altruísta de sua virtude, entretanto, a pessoa que encontra seu maior prazer em dar prazer aos outros deve ser parabenizada – assim como a comunidade que a acolhe.

Não há virtude na dor, no sofrimento, no sacrifício ou na infelicidade para seu próprio bem. Essa ilusão de ascetismo está desaparecendo da mente humana. O sacrifício por parte do indivíduo é valioso e válido apenas quando resulta em maior felicidade presente ou futura para o indivíduo ou para outra pessoa. Não há virtude na dor, física ou mental, exceto como uma etapa para atingir um bem maior para nós ou para os outros. A dor, na melhor das hipóteses, é apenas o alarme e a advertência da natureza de que "não é por este caminho". Também se afirma que a dor, por contraste, serve para produzir prazer e, portanto, é valiosa dessa forma. Seja como for, nenhum indivíduo normal busca deliberadamente a dor final com prejuízo da felicidade final. A maior felicidade final para si mesmo e para aqueles que se ama é o objetivo normal e natural da pessoa normal. Mas o conceito de "aqueles que ele ama", em muitos casos, inclui o grupo, bem como a família imediata.

A sabedoria mostra ao indivíduo que a maior felicidade advém daquele que controla e restringe muitos dos seus sentimentos. A dispersão resulta em dor e infelicidade em última análise. A doutrina do perdão sem reflexão não é filosófica e é contradita pela experiência da espécie humana. Além disso, a sabedoria mostra que a felicidade mais elevada não vem do perdão apenas dos pecados físicos, ou do excesso, mas sim do cultivo, desenvolvimento e manifestação dos sentimentos superiores – as emoções sociais, harmoniosas e intelectuais. Os prazeres mais elevados da vida, a literatura, a arte, a música, a ciência, a invenção, a imaginação construtiva, etc., produzem satisfação e felicidade mais intensas e duradouras do que as formas inferiores de sentimento. Mas o ser humano não deve desprezar nenhuma parte de seu ser emocional. Tudo tem seus usos, que são bons, e seus abusos, que são ruins. Cada parte do seu ser, mental e física, é conveniente ser usada, mas nenhuma parte é bem usada se usa o indivíduo em vez de ser ela mesma usada.

Um escritor moderno afirmou que a finalidade e o objetivo da vida não devem ser a busca da felicidade, mas sim a construção do caráter. A resposta óbvia é que os dois objetivos são idênticos em espírito, pois, para o homem que aprecia o valor do caráter, sua construção é a maior felicidade – os sábios ensinam que a maior felicidade vem para aquele que tem um caráter equilibrado e bem desenvolvido. Outro escritor disse que "o objetivo da vida deve ser o autoaperfeiçoamento, levando em consideração o interesse dos outros". Isso é o mesmo que dizer que a maior felicidade para o homem sábio reside nesse caminho. Qualquer um que seja sábio o suficiente, ou grande o suficiente, para fazer desses fins o objetivo e a meta da vida encontrará a maior felicidade nisso. Arnold Bennett insiste com uma boa filosofia de vida: "alegria, benevolência e justiça". Alguém pode duvidar de que esse caminho traria grande felicidade final?

A felicidade consiste naquilo que "satisfaz o espírito", e este último depende inteiramente do caráter dos sentimentos e emoções nutridos por alguém, conforme pesados na balança da razão e transmitidos pelo julgamento e pelo senso de ação correta. O maior grau de felicidade, ou pelo menos a maior proporção de prazer sobre a dor, é obtido por um cultivo cuidadoso e inteligente do lado sensível do ser em conexão com o cultivo do intelecto e o domínio da vontade. Ser capaz de elevar a capacidade de prazer ao máximo, ser capaz de escolher inteligentemente aquilo que trará a maior felicidade final de acordo com a ação correta, e, finalmente, ser capaz de usar a vontade no sentido de agarrar-se ao que é bom e rejeitar o que é mau, esse é o poder de criar a felicidade. Os sentimentos, o intelecto e a vontade – aqui, como sempre – se combinam para manifestar o resultado.

Finalmente, deve-se lembrar que toda felicidade humana consiste em parte da capacidade de suportar a dor – de sofrer. Deve haver uma pitada de estoicismo no sábio epicurista. Deve-se aprender a arrancar da dor, do sofrimento e da infelicidade a gota secreta de mel que está em seu coração e que consiste no conhecimento do significado e uso da dor e dos meios pelos quais ela pode ser transmutada em conhecimento e experiência, a partir da qual a felicidade posterior pode ser destilada. Lucrar com a dor, transmutar o sofrimento em alegria, transformar a infelicidade do presente em uma felicidade futura maior, esse é o privilégio do filósofo.

Os estados e atividades mentais conhecidos como "desejo" são um desenvolvimento direto do sentimento e da fase emocional da mente e constituem a força motriz da vontade. Na verdade, pode-se dizer que o desejo é composto de sentimento de um lado e de vontade do outro. Mas a influência do intelecto ou das habilidades de raciocínio tem papel muito importante a desempenhar na evolução do sentimento para o desejo e na ação consequente da vontade pela apresentação e avaliação dos desejos conflitantes. Portanto, o raciocínio lógico para a consideração das atividades do intelecto é neste ponto – entre a emoção e a vontade. Consequentemente, deixaremos o assunto do sentimento e da emoção por enquanto, para ser retomado em conexão com o assunto do desejo, após termos considerado os processos intelectuais da mente. Mas, como foi recomendado, veremos a presença e a influência dos sentimentos e emoções até mesmo nas atividades do intelecto.

Capítulo XX

O intelecto

A categoria de estados ou processos mentais agrupados sob o nome de "processos intelectuais" forma a segunda grande divisão dos estados mentais, sendo as duas outras "sentimento" e "vontade", respectivamente.

"Intelecto" foi definido da seguinte forma: "A parte ou habilidade da mente humana que conhecemos, distinta do poder de sentir e de querer; a habilidade de pensar o entendimento", e também como "aquela habilidade da mente humana pela qual ela recebe ou compreende as ideias comunicadas a ela pelos sentidos ou pela percepção, ou outros meios, distintos do poder de sentir e desejar; o poder ou habilidade de perceber propósitos em suas relações; o poder de julgar e compreender; também a capacidade de formas superiores de conhecimento, como distinto do poder de observar e imaginar."

Nos capítulos anteriores, vimos que o indivíduo é capaz de experimentar sensações na consciência e que ele é capaz de percebê-las mentalmente, sendo a última o primeiro passo na atividade intelectual. Também vimos que ele é capaz de reproduzir a percepção por meio da memória e da imaginação, e que por meio desta é capaz de recombinar e reorganizar os objetos de percepção. Também vimos que ele tem o que é conhecido como "sentimentos", que dependem de sua experiência anterior e de seus progenitores. Até agora, a mente tem sido considerada meramente como um instrumento de recepção e reprodução, com um complemento do poder da imaginação. Até este ponto, a mente pode ser comparada ao cilindro fonográfico, como um acessório capaz de reconstituir suas impressões registradas. As impressões são recebidas e compreendidas, são armazenadas, são reproduzidas e, pelo uso da imaginação, são reproduzidas novamente.

Até este ponto, a mente é vista mais ou menos como uma habilidade instintiva automática. Pode ser rastreada desde a atividade puramente reflexa das formas inferiores de vida até os animais inferiores, passo a passo, até que um alto grau de complexidade mental seja percebido em animais como cavalos, cães ou elefantes. Mas algo está faltando. Falta aquele poder peculiar de pensar em símbolos e concepções abstratas que distingue a raça humana e que está intimamente ligado à habilidade da linguagem ou de expressar pensamentos em palavras. O processo mental comparativamente superior dos animais inferiores é ofuscado pela habilidade humana de "pensar". E pensar é a manifestação do intelecto.

O que é pensar? É estranho dizer que, inicialmente, poucas pessoas podem responder a essa pergunta corretamente. A maioria é propensa a responder à pergunta com palavras pueris: "Ora, pensar é pensar!". Vamos ver se podemos deixar isso claro. A definição do dicionário é um pouco técnica demais para ser útil para o iniciante, mas aqui está: "Empregar qualquer um dos poderes intelectuais, exceto o da simples percepção através dos sentidos". Mas quais são os "poderes intelectuais" assim empregados, e como são empregados? Deixe-nos ver.

Afirmando a questão claramente em termos comuns, podemos dizer que "pensar" é o processo mental de (1) comparar nossas percepções das coisas umas com as outras, observando os pontos de semelhanças e de diferenças; (2) classificá-los de acordo com a semelhança ou diferença verificada e, assim, agrupar mentalmente cada conjunto de "coisas de uma espécie" em seu próprio grupo; (3) condensar, ideia simbólica mental (conceito) de cada classe de coisas, assim agrupadas, que podemos depois usar como usamos figuras em cálculos matemáticos; (4) usar esses conceitos para formar suposições, isto é, raciocinar do conhecido para o desconhecido e formar julgamentos a respeito das coisas; (5) comparar esses julgamentos e deduzir deles julgamentos mais elevados; e assim por diante.

Sem pensar, o homem seria dependente de cada experiência particular para seu conhecimento, exceto na medida em que a memória e a imaginação poderiam ajudá-lo instintivamente. Pelos processos de pensamento, ele é capaz de deduzir que, se certas coisas são verdadeiras para certo tipo de coisas, a mesma coisa pode ser esperada de outros da mesma espécie. Como ele é capaz de notar pontos de semelhança ou diferença, é capaz de fazer deduções mais claras e verdadeiras. Além disso, é capaz de aplicar sua imaginação construtiva ao rearranjo e reprodução de coisas cuja natureza ele descobriu e, assim, progredir ao longo da linha de realização material, bem como de conhecimento. Deve ser lembrado, entretanto, que o intelecto depende inteiramente das informações da percepção, o que por sua vez depende dos sentidos. O intelecto simplesmente agrupa as informações da percepção, faz deduções, tira conclusões e forma conclusões a respeito delas e, no caso da imaginação construtiva, as reproduz em formas e arranjos eficazes. O intelecto é o último em ordem no caminho da evolução mental. Aparece por último em ordem na mente da criança, mas muitas vezes persiste na velhice depois que os sentimentos se apagam e a memória enfraquece.

CONCEITOS

O que é conhecido como "conceito" é o primeiro fruto dos processos elementares do pensamento. As várias imagens de objetos externos são sentidas, então percebidas e, a seguir, agrupadas de acordo com suas semelhanças e diferenças, e o resultado é a produção de conceitos. É difícil definir um conceito de modo a transmitir algum significado para o iniciante. Por exemplo, os dicionários dão a definição de "uma concepção, ideia ou noção abstrata e geral formada na mente". Não está muito claro, não é? Talvez possamos entendê-lo melhor se dissermos que os termos cachorro, gato, homem, cavalo, casa, etc., cada um expressa um conceito. Cada termo expressa um conceito; todo nome geral de uma coisa ou qualidade é um termo aplicado ao conceito. Veremos isso um pouco mais claro à medida que prosseguirmos.

Formamos um conceito desta forma: (1) percebemos várias coisas; (2) então notamos certas qualidades dessas coisas – certas propriedades, atributos ou características que tornam as coisas o que são; (3) comparamos essas qualidades das coisas com as qualidades de outras coisas e vemos que há uma semelhança em alguns casos, em vários graus, e uma diferença em outros casos, em vários graus; (4) generalizamos ou classificamos as coisas percebidas de acordo com suas semelhanças e diferenças verificadas; (5) formamos uma ideia geral ou conceito incorporando cada classe; e, finalmente, damos ao conceito um termo, ou nome, que é seu símbolo.

O conceito é uma ideia geral de uma classe de coisas; o termo é a expressão dessa ideia geral. O conceito é a ideia de uma classe de coisas; o termo é o rótulo afixado à coisa. Para ilustrar esta última distinção, tomemos o conceito e o termo "pássaro", por exemplo. Por percepção, comparação e classificação das qualidades dos seres vivos, chegamos à conclusão de que existe uma grande classe geral cujas qualidades podem ser declaradas assim: "Sangue quente, revestido de penas, asas, ovíparo, vertebrado". A essa classe geral de animais dotados dessas qualidades, aplicamos o termo em português "pássaro". O nome é apenas um símbolo. Em alemão, o termo é *vogel*; em latim, *avis*; mas em todos os casos, a ideia geral ou conceito acima declarado significa "sangue quente, revestido de penas, asas, ovíparos, vertebrados". Se alguma coisa for encontrada com todas essas qualidades particulares, então sabemos que deve ser o que chamamos de "pássaro". E tudo o que chamamos de "pássaro" deve ter essas qualidades. O termo "pássaro" é o símbolo daquela combinação particular de qualidades existentes em uma coisa.

Existe uma diferença entre uma imagem mental da imaginação e um conceito. A imagem mental deve ser sempre de uma coisa particular, enquanto o conceito é sempre uma ideia de uma classe geral de coisas que não podem ser claramente representadas na mente. Por exemplo, a imaginação pode formar a imagem mental de qualquer pássaro conhecido, ou mesmo de um pássaro imaginário, mas aquele pássaro sempre será um pássaro distinto, particular. Tente formar uma imagem mental da classe geral de pássaros – como você fará isso? Percebe a dificuldade? Em primeiro lugar, essa imagem teria de incluir as características dos pássaros grandes, como a águia, o avestruz e o condor; e dos pássaros pequenos, como a carriça e o beija-flor. Deve ser uma composição da forma de todos os pássaros, desde o avestruz, o cisne, a águia, a garça, até o pardal, a andorinha e o beija-flor. Deve retratar as qualidades particulares das aves de rapina, aves aquáticas e aves domésticas, bem como dos comedores de grãos. Deve exibir todas as cores encontradas na vida das aves, desde os vermelhos e verdes mais brilhantes até os cinzas e marrons sóbrios. Um pouco de reflexão mostrará que uma imagem mental clara de tal conceito é impossível. O que a maioria de nós faz, quando pensamos em "pássaro", é imaginar uma forma vaga e voadora de cor opaca; mas, quando paramos para pensar que o termo também deve incluir o gingado do pato e a galinha ciscando o quintal, vemos que nossa imagem mental é falha. O problema é que o termo "pássaro" realmente significa "todo pássaro", e não podemos imaginar um "todo pássaro", pela própria natureza do caso. Nossos termos, portanto, são como figuras matemáticas ou símbolos algébricos, que usamos para facilitar, acelerar e clarear os pensamentos.

O problema não termina aqui. Os conceitos incluem não apenas a ideia geral das coisas, mas também a ideia geral das qualidades das coisas. Assim, doçura, dureza, coragem e energia são conceitos, mas não podemos formar uma imagem mental deles por si mesmos. Podemos imaginar uma coisa doce, mas não a doçura em si. Então você vê que um conceito é uma ideia mental puramente abstrata – um símbolo – semelhante às figuras 1, 2, 3, etc., e usado da mesma maneira. Eles representam classes gerais de coisas. Um "termo" é a expressão verbal e escrita da ideia ou conceito geral. O aluno é solicitado a fixar essas distinções em sua mente de modo a tornar mais fácil sua compreensão.

Capítulo XXI

A concepção

O processo de concepção foi bem definido por Gordy como "aquele ato mental pelo qual se forma uma ideia de uma classe, ou aquele ato mental que nos permite usar termos gerais de maneira inteligente". Ele acrescenta: "É claro que está entendido que estou usando a palavra 'classe' para denotar um número indefinido de indivíduos que se parecem em certos aspectos".

PERCEPÇÃO

O primeiro passo da concepção é a percepção. Podemos notar com muita facilidade que a natureza de nossos processos intelectuais depende materialmente da variedade, clareza e precisão de nossas percepções. Portanto, novamente, gostaríamos de remeter nossos alunos ao capítulo em que afirmamos a importância da percepção clara.

MEMÓRIA

As etapas futuras da concepção dependem materialmente da clareza da memória, visto que podemos classificar os objetos apenas lembrando suas qualidades percebidas em outro momento e armazenadas. Portanto, a memória deve ser reforçada tanto para essa como para outras finalidades.

ABSTRAÇÃO

A segunda etapa da concepção é a abstração mental das qualidades da coisa observada. Ou seja, devemos perceber e então colocar de lado mentalmente as qualidades observadas da coisa. Por exemplo, o homem primeiro percebeu a existência de certas qualidades nas coisas. Ele descobriu que certo número de coisas apresentava algumas dessas qualidades em comum, enquanto outras tinham outras qualidades da mesma maneira, e, portanto, surgiu a classificação por meio da comparação. Mas tanto a comparação quanto a classificação são possíveis apenas pela abstração, ou percepção da qualidade como uma "coisa" – assim, a abstração da ideia da qualidade de doce da ideia de açúcar. A doçura é uma qualidade em vez da coisa em si. É uma qualidade apresentada pelo açúcar que o ajuda a torná-lo o que ele é.

Cor, forma, tamanho, qualidades mentais, hábitos de ação – essas são algumas das qualidades primeiro observadas nas coisas e delas abstraídas no pensamento. Vermelhidão, doçura, dureza, maciez, grandeza, pequenez, fragrância, rapidez, lentidão, ferocidade, gentileza, calor, frieza etc. – essas são qualidades abstratas das coisas. É claro que essas qualidades nunca estão divorciadas das coisas, mas a mente as divorcia para tornar o pensamento mais fácil. Uma autoridade diz: "Os animais são incapazes de fazer concepções, por isso não conseguem desenvolver o pensamento formal. O pensamento abstrato é idêntico ao pensamento racional, que é o traço característico do pensamento dos seres falantes. Essa é a razão pela qual o pensamento abstrato é propriedade exclusiva do homem sobre a terra, e porque os animais inferiores são incapazes do pensamento abstrato. O processo de nomeação é o mecanismo da abstração, pois os nomes estabelecem a independência mental dos objetos nomeados".

Os processos de abstração dependem da atenção – atenção concentrada. A atenção dirigida às qualidades de uma coisa tende a abstrair as qualidades do pensamento da própria coisa. Mill diz: "A abstração é essencialmente o resultado da atenção". Hamilton diz: "Atenção e abstração são apenas o mesmo processo visto nas diferentes relações". O cultivo do poder de abstração significa em primeiro lugar o cultivo da atenção. Qualquer atividade mental que tende à análise ou separação de uma coisa em suas partes, qualidades ou elementos servirá para cultivar e desenvolver o poder de abstração.

O hábito de converter qualidades em conceitos é adquirido transformando os termos adjetivos em seus termos substantivos correspondentes. Por exemplo, um confete colorido tem as qualidades de ser redondo, duro, vermelho, doce etc. Transformando esses adjetivos em termos substantivos, temos os conceitos esférico, dureza, vermelhidão e doçura, respectivamente.

COMPARAÇÃO

A terceira etapa da concepção é a da comparação, na qual as qualidades de várias coisas são comparadas ou examinadas em busca de semelhanças e diferenças. Encontramos muitas qualidades em que as inúmeras coisas diferem e algumas em que há semelhança. As classes são formadas por similaridades ou semelhanças, enquanto os indivíduos são separados das classes aparentes pela detecção de diferenças. Finalmente, verifica-se que as coisas separadas, embora tenham muitos pontos de diferença que indiquem sua individualidade, têm, no entanto, alguns pontos de semelhança que indicam que pertencem à mesma família ou classe geral. A detecção de semelhanças e diferenças nas qualidades de várias coisas é um processo mental importante. Muitos dos processos do pensamento superior dependem em grande parte da capacidade de comparar as coisas de maneira adequada. O desenvolvimento da atenção e da percepção tende a desenvolver o poder de comparação.

CLASSIFICAÇÃO OU GENERALIZAÇÃO

A quarta etapa da concepção é a da classificação ou generalização, por meio da qual colocamos as coisas individuais em um grupo mental ou classe, e então esse grupo em companhia de outros grupos em uma classe superior, e assim por diante. Assim, agrupamos todos os pequenos pássaros individuais com certas características em uma espécie, depois várias espécies relacionadas em uma família maior, e esta em uma ainda maior, até que finalmente agrupamos todas as famílias de pássaros na grande família que chamamos de "pássaros" e em relação à qual o simples termo "pássaro" expressa o conceito geral.

Jevons diz: "Classificamos as coisas em um mesmo grupo sempre que observamos que são iguais entre si em algum aspecto e, portanto, pensamos nelas juntas. Ao classificar uma coleção de objetos, não apenas reunimos em grupos aqueles que se assemelham, mas também dividimos cada classe em outras menores em que a semelhança é mais completa. Assim, a classe de 'substância branca' pode ser dividida naqueles que são sólidos, e naqueles que são fluidos, de modo que temos as duas classes menores de substâncias branco-sólido e branco-fluido. É desejável ter nomes para mostrar que uma classe está contida em outra, portanto, chamamos a classe que está dividida em duas ou mais menores de gênero, e as menores em que é dividida, de espécies".

Cada espécie é uma pequena família dos indivíduos que a compõem e, ao mesmo tempo, é uma espécie individual do gênero logo acima dela; o gênero, por sua vez, é uma família de várias espécies e, ao mesmo tempo, um gênero individual na família maior ou classe acima dela.

O aluno pode se familiarizar com a ideia de generalização considerando-se como um indivíduo, digamos, John Smith. John representa essa unidade de generalização. A próxima etapa é combinar John com os outros Smiths de sua família imediata. Então essa família pode ser agrupada com seus parentes próximos de sangue, e assim por diante, até que finalmente todos os Smiths aparentados, próximos e remotos, são agrupados em uma grande família Smith.

Ou, da mesma maneira, o grupo da família pode ser ampliado até que recolha todos os povos brancos em um município, então todos os povos brancos no estado, então todos nos Estados Unidos, então todas as raças brancas, então todos os brancos e outras raças de pele clara, então toda a humanidade. Então, se alguém estiver propenso, o processo pode ser continuado até abranger todas as criaturas vivas, desde os nanobes até o homem. Invertendo o processo, as criaturas vivas podem ser divididas e subdivididas até que toda a humanidade seja vista como uma classe. Então, a raça do homem pode ser dividida em sub-raças de acordo com a cor; a raça branca pode ser subdividida em americanos e não americanos. Os americanos podem ser divididos em habitantes de vários estados, ou em indianos e não indianos; em seguida, para os habitantes de vários condados de Indiana, e assim o Condado de Posey é alcançado. Em seguida, as pessoas do condado de Posey são divididas em Smiths e não Smiths; a família Smith, em seus grupos familiares constituintes, e então nas famílias menores, e assim por diante, até que a classificação alcance determinado John Smith, que finalmente se descobre ser um indivíduo – em uma classe por si mesmo. Essa é a história dos processos ascendentes e descendentes da generalização.

Capítulo XXII

Classes de conceitos

Algumas das principais autoridades afirmam que, para desenvolver sentimentos e uma compreensão estética mais refinada, devemos aprender a encontrar beleza e excelência em coisas distantes de nós mesmos ou de nossos interesses egoístas. As emoções superficiais e egoístas destroem os sentimentos estéticos – os dois não podem coexistir. A pessoa cujos pensamentos estão centrados em si mesma raramente encontra beleza ou excelência em obras de arte ou música. Grant Allen resume bem o assunto nas seguintes palavras: "O bom gosto é o produto da delicadeza e do discernimento dos nervos, treinamento da atenção, constituição emocional elevada e nobre e aumento das faculdades intelectuais".

No capítulo anterior, vimos o processo de concepção – a formação de conceitos. A ideia de uma classe geral de coisas ou qualidades é um conceito. Cada conceito contém as qualidades que são comuns a todos os indivíduos que compõem a classe, mas não aquelas qualidades que pertencem apenas às classes menores ou aos indivíduos. Por exemplo, o conceito de "pássaro" incluirá necessariamente as qualidades comuns de sangue quente, revestido de penas, asas, ovíparo e vertebrado. Mas não incluirá cor, forma específica, tamanho, recursos ou características especiais das subfamílias ou indivíduos que compõem a grande classe. A classe compreende os indivíduos e subclasses que a compõem; o conceito inclui as qualidades gerais e comuns que todos na classe apresentam. Uma percepção é a imagem mental de uma coisa particular; um conceito é a ideia mental das qualidades gerais de uma classe de coisas. Uma percepção surge da percepção de uma sensação; um conceito é uma criação puramente mental e abstrata cuja única existência é no mundo das ideias e que não tem finalidade individual correspondente no mundo dos sentidos.

Existem duas classes gerais de conceitos: (1) conceitos concretos, nos quais as qualidades comuns de uma classe de coisas são combinadas em uma ideia conceitual, como "pássaro", de que falamos; e (2) conceitos abstratos, nos quais é combinada a ideia de alguma qualidade comum a uma série de coisas, como "doçura" ou "vermelhidão". A conhecida regra de Jevons para termos é uma ajuda para lembrar essa classificação: "um termo concreto é o nome de uma coisa; um termo abstrato é o nome de uma qualidade de uma coisa".

É fato peculiar e regra de conceitos concretos que, (1) quanto maior a classe de coisas abrangidas em um conceito, menores são suas qualidades gerais, e, (2) quanto maior o número de qualidades gerais incluídas em um conceito, menor o número de indivíduos abrangidos por ele. Por exemplo, o termo "pássaro" abrange um grande número de indivíduos – todos os pássaros que existem, na verdade –, mas tem poucas qualidades gerais, como vimos. Pelo contrário, o conceito "cegonha" tem um número muito maior de qualidades gerais, mas abrange muito menos indivíduos. Finalmente, o indivíduo é alcançado e descobrimos que ele tem mais qualidades do que qualquer classe pode ter; mas é composto do menor número possível de indivíduos, um. O segredo é este: dois indivíduos não podem ter tantas qualidades em comum quanto cada um individualmente, a menos que sejam exatamente iguais, o que é impossível por natureza.

CONCEITOS IMPERFEITOS

Diz-se que, fora das definições estritamente científicas, poucas pessoas concordam em seus conceitos sobre uma mesma coisa. Cada um tem seu próprio conceito da coisa particular que expressa pelo mesmo termo. Várias pessoas solicitadas a definir um termo comum como "amor", "religião", "fé", "crença", etc., darão uma variedade de respostas que causará admiração. Como diz Green: "Minha ideia ou imagem é só minha – a imperfeição é a recompensa da observação desatenta; e da observação atenta, cuidadosa e variada, a perfeição. Entre o meu e o seu, existe um grande abismo. Nenhum homem pode passar do meu para o seu, ou do seu para o meu. Nem em qualquer sentido adequado do termo o meu pode ser transmitido para você. Palavras não transmitem pensamentos; elas não são veículos de pensamentos em qualquer sentido verdadeiro desse termo. Uma palavra é simplesmente um símbolo comum que cada um associa com sua própria ideia ou imagem".

A razão da diferença nos conceitos de várias pessoas é que pouquíssimos conceitos são perfeitos; grande parte deles é bastante imperfeita e incompleta. Jevons nos dá uma ideia disso em suas observações sobre a classificação: "As coisas podem parecer muito semelhantes entre si, mas não são. Baleias, botos, focas e vários outros animais vivem no mar exatamente como um peixe; eles têm uma forma semelhante e geralmente são classificados entre os peixes. Diz-se que as pessoas vão pescar baleias. No entanto, esses animais não são realmente peixes, mas são muito mais parecidos com cães, cavalos e outros quadrúpedes do que com peixes. Eles não podem viver inteiramente sob a água e respirar o ar contido na água como peixes – precisam vir à superfície em intervalos para respirar. Da mesma forma, não devemos classificar morcegos com pássaros porque eles voam, embora tenham o que se chamaria de asas; essas asas não são como as dos pássaros, e, na verdade, os morcegos se parecem muito mais com ratos e camundongos do que com pássaros. Os botânicos costumavam classificar as plantas de acordo com seu tamanho, como árvores, arbustos ou ervas, mas agora sabemos que uma grande árvore costuma ser mais semelhante em caráter a uma pequena erva do que a outras grandes árvores. Uma margarida tem pouca semelhança com um grande cardo-selvagem; no entanto, os botânicos os consideram muito semelhantes. O bambu é um tipo de grama, e a cana-de-açúcar também pertence à mesma classe do trigo e da aveia".

É importante que conceitos claros sejam formados a respeito, pelo menos, das coisas familiares da vida. A lista de conceitos claros deve ser revisada de tempos em tempos por meio de estudo, investigação e exame. O dicionário deve ser consultado com frequência, e um termo deve ser estudado até que se tenha um significado claro do conceito que ele procura expressar. Uma boa enciclopédia (não necessariamente uma enciclopédia cara, nestes dias de edições baratas) também se mostrará muito útil a esse respeito. Como diz Halleck: "É preciso ter em mente que muitos dos nossos conceitos estão sujeitos a mudanças durante toda a nossa vida; que a princípio eles são feitos apenas de forma provisória; essa experiência pode nos mostrar, a qualquer momento, que eles foram formados erroneamente, que abstraímos pouco ou muito, tornamos a classe muito ampla ou muito limitada, ou que aqui uma qualidade deve ser adicionada ou removida".

É uma boa prática fazer um memorando de tudo o que você pode ouvir, mas do qual você nada sabe, e depois fazer uma investigação breve, mas completa, por meio do dicionário e da enciclopédia, e de qualquer forma de estudo que possa ser feita sobre o assunto, não o deixando até que você sinta que obteve pelo menos uma ideia clara do que a coisa realmente significa. Meia hora de cada noite dedicada a fazer exercícios desse tipo resultará em um maravilhoso aumento de quantidade informações gerais. Ouvimos falar de um homem que adquiriu o hábito de ler um pequeno artigo na enciclopédia todas as noites, dando preferência a assuntos geralmente classificados como familiares. Em um ano, ele fez um avanço notável no conhecimento geral, bem como nos hábitos de pensamento. Em cinco anos, foi considerado por seus associados como um homem de um campo notavelmente amplo de informações gerais e de inteligência mais do que comum – veredicto justo. Via de regra, perdemos muito mais tempo com ficção sem valor do que estamos dispostos a dedicar a um pequeno autoaperfeiçoamento desse tipo. Recuamos diante da ideia de um curso geral de leitura instrutiva, sem perceber que podemos realizar nosso estudo em pequenas parcelas e com muito pouco custo de tempo e mão de obra.

Nossos conceitos formam o material que nosso intelecto usa em seus processos de raciocínio. Não importa o quão bom intelectual alguém possa ser; a menos que tenha um bom suprimento de informações gerais acerca das coisas sobre as quais está raciocinando, ele não fará muito progresso real. Devemos começar de baixo e construir uma base sólida sobre qual a estrutura intelectual possa ser erguida. Essa fundação é composta por fatos. Esses fatos são representados por nossos conceitos claros e corretos.

Capítulo XXIII

Julgamentos

Vimos as várias etapas do processo mental por meio das quais sensações simples são transformadas em percepções e, então, em conceitos ou ideias gerais. A formação do conceito é considerada o primeiro grande passo do pensar. A segunda grande etapa do pensar é aquela da formação do "julgamento". A definição de "julgamento", como o termo é usado na lógica, é "comparar na mente duas ideias e determinar se elas concordam ou discordam uma da outra, ou se uma delas pertence ou não à outra. O julgamento é, portanto, (a) afirmativo ou (b) negativo, como (a) 'A neve é branca' ou (b) 'Nem todo homem branco é europeu'".

Na lógica, o que chamamos de "hipótese" é a expressão em palavras de um julgamento lógico. Hyslop definiu o termo "hipótese" da seguinte forma: "Qualquer afirmação ou negação de um acordo entre duas concepções". Por exemplo, comparamos os conceitos "pardal" e "pássaro" e descobrimos que há um acordo e que o primeiro pertence ao último; esse processo mental é um julgamento. Em seguida, anunciamos o julgamento na hipótese: "O pardal é um pássaro". Da mesma forma, comparamos os conceitos "morcego" e "pássaro", descobrimos que há uma discordância e formamos o julgamento de que nenhum pertence ao outro, que expressamos na hipótese: "O morcego não é um pássaro". Ou podemos formar o julgamento de que "doçura" é uma qualidade do "açúcar", que expressamos na hipótese: "O açúcar é doce". Da mesma forma, podemos formar o julgamento que resulta na hipótese: "Vinagre não é doce".

Embora o processo de julgamento seja considerado a segunda grande etapa do pensamento, logo após a formação do conceito e consistindo na comparação de conceitos, deve ser lembrado que o ato de julgar é muito mais elementar do que isso, pois é encontrado na história nas origens dos processos de pensamento. Por meio da lei peculiar e incoerente que encontramos em toda parte operando nos processos mentais, o mesmo processo de formar julgamentos que é usado na comparação de conceitos também foi usado na formação dos mesmos conceitos no estágio de comparação. Na verdade, o resultado de todas as comparações, altas ou baixas, deve ser um julgamento.

Como diz Halleck: "O julgamento é necessário na formação de conceitos. Quando decidimos que uma qualidade é ou não comum a uma classe, estamos realmente julgando. Essa é outra evidência da complexidade e da ação unificada da mente". Brooks diz: "O poder de julgamento é de grande valor nas suas consequências. Está envolvido ou acompanha cada ato do intelecto e, portanto, está na base de toda atividade intelectual. Ele atua diretamente em cada ato do entendimento e até mesmo auxilia as outras habilidades da mente na conclusão de suas atividades e resultados. Verdadeiramente falando, todo ato inteligente da mente é acompanhado de um julgamento. Saber é discriminar e, portanto, julgar. Cada sensação ou cognição envolve um conhecimento e, portanto, um julgamento de que existe. A mente não pode pensar sem julgar; pensar é julgar. Mesmo ao formar as ideias onde o julgamento compara, a mente julga. Cada ideia ou conceito implica um ato prévio de julgamento para formá-lo; ao formar um conceito, comparamos os atributos comuns antes de uni-los, e comparação é julgamento. Portanto, é verdade que 'Todo conceito é um julgamento contraído; cada julgamento é um conceito expandido'".

É desnecessário dizer que, como os julgamentos estão na base de nosso pensamento e também aparecem em todas as partes de sua estrutura superior, a importância do julgamento correto no pensamento não pode ser superestimada. Mas muitas vezes é muito difícil formar um julgamento correto, mesmo em relação às coisas mais familiares ao nosso redor. Halleck diz que "Na vida real as coisas se apresentam a nós com suas qualidades disfarçadas ou obscurecidas por outras qualidades conflitantes. Os homens, por muito tempo, viram um material em chamas e formaram um conceito deles. Um certo material duro, preto e pedregoso foi frequentemente observado, e um conceito foi formado a partir dele. Esse conceito era imperfeito; mas é muito raro encontrarmos conceitos perfeitos e bem definidos na vida real. Assim, por muito tempo, o conceito de material em chamas nunca foi vinculado por julgamento ao conceito de carvão mineral. A qualidade de combustível do carvão foi ofuscada por suas características de pedra. 'É claro que a pedra não queima', diziam as pessoas. Não se pode dizer por quanto tempo o desenvolvimento da humanidade foi retardado por essa razão. A Inglaterra não estaria hoje fabricando produtos para o resto do mundo se alguém não tivesse julgado o carvão como um combustível. O julgamento está sempre trabalhando silenciosamente e comparando coisas que em épocas passadas pareciam diferentes; e está constantemente abstraindo e deixando de fora do campo de visão aquelas qualidades que simplesmente serviram para obscurecer o ponto em questão".

Gordy diz: "A ingenuidade das crianças é notória; mas, se apanharmos os fatos em primeira mão, se estudarmos 'a criança viva, que aprende e brinca', veremos que ela é tão notável pela ingenuidade quanto pela perspicácia. A explicação é simples. Ela tende a acreditar na primeira sugestão que lhe vem à mente, não importa de que origem; e uma vez que sua crença não é o resultado de nenhum processo racional, ela não pode ser levada a descrer dela de nenhuma maneira racional. Consequentemente, ela é muito crédula sobre qualquer assunto sobre o qual não tenha ideia; mas deixe a ideia tomar posse de sua mente, e ela é tão notável pela incredulidade quanto antes pela credulidade. Se estudarmos a criança maior – o homem com mente de criança, um homem sem instrução –, teremos a mesma verdade imposta a nós. Se as crenças dos homens fossem devidas a processos de raciocínio, onde eles não raciocinaram, eles não acreditariam. Mas onde encontramos então? Não é verdade que os homens que têm opiniões sobre a maior variedade de assuntos – tanto quanto já ouviram falar – são precisamente aqueles que têm menos conhecimento deles? Lembramos que Sócrates era considerado o homem mais sábio de Atenas porque só ele resistia à sua tendência natural de acreditar na ausência de evidências; só ele não se iludia com o conceito do conhecimento sem a realidade; e dificilmente seria demais dizer que a força intelectual dos homens está em proporção direta ao número de coisas das quais eles estão absolutamente certos. Não pretendo, obviamente, sugerir que não devamos ter opiniões sobre assuntos que não tenhamos investigado pessoalmente. Aceitamos, e devemos aceitar, a opinião de alguns homens sobre o direito, de outros sobre a medicina e de outros sobre ciências particulares, e assim por diante. Mas devemos perceber claramente a diferença entre confiar em uma opinião e mantê-la como resultado de nossas próprias investigações".

Brooks diz: "Deve ser um dos principais objetivos da cultura dos jovens levá-los a adquirir o hábito de formar julgamentos. Eles devem ser levados não apenas a ver as coisas, mas também a ter opiniões sobre as coisas. Eles devem ser treinados para ver as coisas em suas relações e colocar essas relações em hipóteses definidas. Suas ideias sobre os objetos devem ser transformadas em pensamentos a respeito dos objetos. Os melhores métodos de ensino são aqueles que tendem a estimular o hábito da mente pensativa que percebe as semelhanças e diversidades de objetos e se esforça para ler os pensamentos que eles incorporam e dos quais são os símbolos".

O estudo da lógica, da geometria e das ciências naturais é recomendado para o exercício da habilidade de julgamento e para o seu desenvolvimento. O estudo e a prática até mesmo dos princípios mais básicos da matemática também são úteis nessa direção. O jogo de damas ou xadrez é recomendado por muitas autoridades. Alguns têm defendido a prática de resolver enigmas, problemas, quebra-cabeças, etc., como forma de praticar essa habilidade da mente. O cultivo do "por quê?", a atitude mental e a resposta às próprias questões mentais também são úteis, se não levados em excesso. "Dúvida de Tomé" nem sempre é um termo de reprovação nestes dias de hábitos científicos de pensamento, e "o homem do Missouri" tem muitos admiradores calorosos.

Capítulo XXIV

Leis primárias do pensamento

Em conexão com esse assunto, aqui chamamos a atenção do estudante para as bem conhecidas Leis Primárias do Pensamento, que foram reconhecidas como válidas desde o tempo dos antigos lógicos gregos. Essas leis são autoevidentes e incontestáveis. Elas são inquestionáveis. Jevons diz que "Os alunos raramente conseguem ver de início todo o seu significado e importância. Todos os argumentos podem ser explicados quando essas leis autoevidentes são apresentadas, e não é demais dizer que toda a lógica será clara para aqueles que constantemente usarem essas leis como sua chave". Aqui estão as três leis primárias do pensamento:

I. Lei da identidade. "Seja o que for, é."

II. Lei da não contradição. "Nada pode ser e não ser."

III. Lei da exclusão do meio-termo. "Tudo deve ser ou não ser; não há meio-termo."

1. A primeira dessas leis, denominada "Lei da identidade", informa-nos que uma coisa é sempre ela mesma, não importa sob qual aspecto ou forma seja percebida ou se apresente. Um animal é sempre um pássaro se tem as características gerais de um "pássaro", não importa se ele exibe as características secundárias de uma águia, uma carriça, uma cegonha ou um beija-flor. Da mesma forma, a baleia é um mamífero porque tem as características gerais de um mamífero, embora nade na água como um peixe. Além disso, doçura é sempre doçura, seja manifestada em açúcar, mel, flores ou produto de alcatrão. Se uma coisa é aquela coisa, então é, e não se pode afirmar logicamente que não é.

2. A segunda dessas leis, chamada "Lei da não contradição", nos informa que a mesma qualidade ou classe não pode ser afirmada e negada de uma coisa ao mesmo tempo e lugar. Não se pode dizer que um pardal é "pássaro" e "não é pássaro" ao mesmo tempo. Nem o açúcar pode ser considerado "doce" e "não doce" ao mesmo tempo. Um pedaço de ferro pode estar "quente" em uma extremidade e "não quente" em outra, mas não pode estar "quente" e "não quente" no mesmo lugar ao mesmo tempo.

3. A terceira dessas leis, chamada de "Lei da exclusão do meio-termo", nos informa que determinada qualidade ou classe deve ser afirmada ou negada a tudo em qualquer momento e lugar. Tudo deve ser de determinada classe ou não, deve ter certa qualidade ou não, em determinado

tempo ou lugar. Não há outra alternativa ou meio-termo. É inquestionável que qualquer afirmação deve ser ou não verdadeira em relação a certa outra coisa em determinado tempo e lugar; não há como escapar disso. Qualquer coisa tanto deve ser "preta" ou "não é preta", um pássaro ou não pássaro, vivo ou não vivo, em qualquer época determinada ou lugar. Não há nada mais que possa ser; não pode ambos ser e não ser ao mesmo tempo e lugar, como vimos; portanto, deve ser ou não aquilo que dela se afirma. O julgamento deve decidir qual alternativa; mas há apenas duas escolhas possíveis.

Mas o estudante não deve confundir qualidades ou coisas opostas com "não existência". Uma coisa pode ser "preta" ou "não é preta", mas não precisa ser branca para "não ser preta", pois o azul também "não é preto", assim como "não é branco". A negligência desse fato frequentemente causa erro. Devemos sempre afirmar a existência ou não existência de uma qualidade em uma coisa, mas isso é muito diferente de afirmar ou negar a existência da qualidade oposta. Assim, uma coisa pode ser "não dura" e, no entanto, não quer dizer que seja "macia"; pode ser nem dura nem macia.

APLICAÇÃO FALACIOSA

Existe o que é conhecido como "falácia" na aplicação dessas leis primárias. Uma falácia é um argumento ou conclusão incorretos. Por exemplo, porque determinado homem é mentiroso, é falacioso presumir que "todos os homens são mentirosos", pois mentir é uma qualidade particular do homem individual, e não uma qualidade geral da classe dos homens. Da mesma forma, porque a cegonha tem pernas longas e bico longo, não quer dizer que todas as aves devam ter essas características simplesmente porque a cegonha é uma ave. É falacioso estender uma qualidade individual a uma classe. Mas é de bom senso presumir que uma qualidade de uma classe deve ser apresentada por todos os indivíduos dessa classe. É uma sugestão muito diferente que afirma que "alguns pássaros são pretos" daquela que afirma que "todos os pássaros são pretos". A mesma regra, é claro, é verdadeira em relação às sugestões negativas.

Outra falácia é aquela que assume que, porque a sugestão afirmativa ou negativa não foi, ou não pode ser, provada, segue-se que a sugestão oposta deva ser verdadeira. O verdadeiro julgamento é simplesmente "não provado".

Outro julgamento falacioso é aquele que se baseia em atribuir qualidade absoluta àquilo que é apenas relativo ou comparativo. Por exemplo, os termos "quente" e "frio" são relativos e comparativos e simplesmente denotam a opinião relativa de uma pessoa a respeito de determinado grau de temperatura. A coisa certa é o grau de temperatura, digamos 75 graus Fahrenheit; disso, podemos logicamente alegar que é ou não verdadeiro em determinado momento ou lugar. Ou está 75 graus Fahrenheit, ou não. Mas, para um homem, isso pode parecer quente, e para outro, frio; ambos estão certos em seus julgamentos no que diz respeito a seus próprios sentimentos relativos. Mas nenhum dos dois pode afirmar absolutamente que é quente ou frio. Portanto, é uma falácia atribuir qualidade absoluta a uma relativa. O fato absoluto vem sob a lei do meio-termo excluído, mas uma opinião pessoal não é um fato absoluto.

Existem outras falácias que serão consideradas em outros capítulos deste livro, sob o título apropriado.

Capítulo XXV

Raciocínio

Pode-se dizer que o raciocínio, o terceiro grande passo do pensamento, consiste em averiguar novas verdades a partir das antigas, novos julgamentos a partir dos antigos, fatos desconhecidos a partir dos conhecidos; enfim, de proceder logicamente do conhecido ao desconhecido, usando o conhecido como fundamento do desconhecido que se busca conhecer. Gordy dá-nos a seguinte excelente definição do termo: "Raciocínio é o ato de ir do conhecido ao desconhecido por meio de outras convicções; de basear o julgamento em julgamentos; alcançar crenças por meio de crenças". O raciocínio, então, é visto como um processo de construção de uma estrutura de julgamentos, um apoiado no outro, sendo o ponto mais alto o julgamento final, mas o todo constituindo um edifício de julgamento. Isso pode ser visto mais claramente quando as várias formas de raciocínio são consideradas.

RACIOCÍNIO IMEDIATO

A forma mais simples de raciocínio é a conhecida como "raciocínio imediato", que significa raciocinar por comparação direta de dois julgamentos sem a intervenção do terceiro julgamento, que se encontra nas classes mais formais do raciocínio. Essa forma de raciocínio depende em grande parte da aplicação das Três Leis Primárias do Pensamento, às quais nos referimos no capítulo anterior.

Será visto que, se (a) uma coisa é sempre ela mesma, então (b) tudo o que está incluído nela deve compartilhar de sua natureza. Assim, a família de pássaros tem certas características da classe, portanto, por raciocínio imediato, sabemos que qualquer membro dessa família deve ter essas características da classe, quaisquer que sejam as características particulares que possa ter além disso. Também sabemos que não podemos atribuir as características particulares, como algo natural, aos outros membros da classe. Assim, embora todos os pardais sejam pássaros, não é verdade que todos os pássaros sejam pardais. "Todos os biscoitos são alimentos; mas nem todos os alimentos são biscoitos."

Da mesma forma, sabemos que uma coisa não pode ser ave e mamífero ao mesmo tempo, pois os mamíferos formam uma família de não pássaros. E, igualmente, sabemos que tudo deve ser pássaro ou não pássaro, mas que não ser pássaro não significa ser mamífero, pois há muitas outras coisas não pássaros além dos mamíferos. Nessa forma de raciocínio, a distinção é sempre feita entre a classe universal ou geral, que é expressa pela palavra todos, e a particular ou individual, que é expressa pela palavra "alguns". Muitas pessoas deixam de notar essa diferença em seu raciocínio, e raciocinam erroneamente – por exemplo, porque alguns cisnes são brancos, todos os cisnes devem ser assim, o que é muito diferente de raciocinar que, se todos são assim e assim, então alguns devem ser assim e assim. Aqueles que estão interessados nesse assunto são encaminhados a algum livro-texto elementar sobre lógica, já que a consideração detalhada é técnica demais para ser considerada aqui.

RACIOCÍNIO POR ANALOGIA

Raciocinar por analogia é uma forma elementar de raciocínio e é o tipo particular de raciocínio empregado pela maioria das pessoas no pensamento comum. Baseia-se no reconhecimento inconsciente pela mente humana do princípio que é expresso por Jevons como "se duas ou mais coisas se assemelham em muitos pontos, provavelmente se assemelharão em mais pontos". Ele também diz: "O raciocínio por analogia difere apenas em grau daquele tipo de raciocínio chamado 'generalização'. Quando muitas coisas se assemelham em poucas características, discutimos sobre elas por generalização. Quando algumas poucas coisas se parecem em muitas características, é um caso de analogia".

Embora essa forma de raciocínio seja frequentemente empregada com resultados mais ou menos satisfatórios, está sempre sujeita a uma grande porcentagem de erros. Assim, pessoas foram envenenadas por cogumelos devido a um raciocínio análogo falso de que, como os cogumelos são comestíveis, os cogumelos que se assemelham a eles também devem ser próprios para a alimentação; ou, da mesma forma, porque certos frutos se assemelham a outros frutos silvestres comestíveis, também devem ser bons alimentos. Como diz Brooks, "Deduzir que, porque John Smith tem nariz vermelho e também é um bêbado, Henry Jones, que também tem nariz vermelho, também é um bêbado, seria uma dedução perigosa. Conclusões desse tipo tiradas de analogias são frequentemente perigosas". Halleck diz que "Muitas analogias falsas são fabricadas, e é um excelente treinamento de pensamento expô-las. A maioria das pessoas pensa tão pouco que engole essas analogias falsas, assim como os piscos recém-emplumados engolem pequenas pedras que caem em suas bocas".

Jevons, uma das maiores autoridades no assunto, afirma: "Não há como garantir a nós mesmos que estamos argumentando com segurança por analogia. A única regra que pode ser dada é esta: que, quanto mais duas coisas se assemelham, mais provável é que sejam iguais em outros aspectos, especialmente em pontos intimamente ligados aos observados. Para sermos claros sobre nossas conclusões, devemos, de fato, nunca nos contentar com a mera analogia;

devemos tentar descobrir as leis gerais que regem o caso. Descobrimos que o raciocínio por analogia não é confiável a menos que façamos uma investigação sobre as causas e leis das coisas em questão de forma que realmente empreguemos o raciocínio indutivo e dedutivo".

FORMAS SUPERIORES DE RACIOCÍNIO

As duas formas superiores de raciocínio são conhecidas, respectivamente, como (1) raciocínio indutivo, ou indução de fatos particulares a leis gerais, e (2) raciocínio dedutivo, ou dedução de afirmações gerais para afirmações particulares. Embora a distinção de classes seja feita com o propósito de uma consideração clara, não se deve esquecer que as duas formas de raciocínio são geralmente encontradas em combinação. Assim, no raciocínio indutivo, muitos passos são dados com a ajuda do raciocínio dedutivo; e, da mesma forma, antes que possamos raciocinar dedutivamente a partir de afirmações gerais para afirmações particulares, devemos ter descoberto as leis gerais pelo raciocínio indutivo de dados particulares. Assim, existe uma unidade em todos os processos de raciocínio, assim como em todas as operações mentais. O raciocínio indutivo é um processo sintético; raciocínio dedutivo é analítico. No primeiro, combinamos e construímos; no último, dissecamos e separamos.

Capítulo XXVI

Raciocínio indutivo

O raciocínio indutivo é baseado na evidência: "O que é verdade para muitos é verdade para todos". Essa evidência é baseada na crença do homem sobre a uniformidade da natureza. O raciocínio indutivo é uma escada mental pela qual subimos de fatos particulares às leis gerais, mas a escada se apoia na crença de que o universo é governado por leis.

As etapas do raciocínio indutivo são as seguintes:

I. Observação, investigação e exame de fatos ou coisas particulares. Se quisermos conhecer as características gerais da família das aves, devemos primeiro examinar um número suficiente de aves de muitos tipos a fim de descobrir as poucas características gerais relativas apresentadas por todos da família das aves, distintas das características particulares apresentadas por apenas alguns daquela família. Quanto maior o número de indivíduos examinados, mais restrita se torna nossa lista das qualidades gerais comuns a todos. Da mesma forma, devemos examinar muitos tipos de flores antes de chegarmos às poucas qualidades gerais comuns a todas as flores, que combinamos no conceito geral de "flor". O mesmo é verdade em relação à descoberta das leis gerais a partir de fatos particulares. Examinamos os fatos e, em seguida, trabalhamos em direção a uma lei geral que os explicará. Por exemplo, a Lei da Gravidade foi descoberta pela observação e investigação do fato de que todos os objetos são atraídos para a Terra; uma investigação posterior revelou que todos os objetos materiais são atraídos uns pelos outros; então a lei geral foi descoberta, ou, melhor, a hipótese foi apresentada, foi encontrada para explicar os fatos e foi verificada por novos experimentos e observações.

II. A segunda etapa do raciocínio indutivo é a formulação de uma hipótese. Uma hipótese é uma afirmação ou princípio assumido como uma explicação possível para um conjunto ou classe de fatos. É considerada uma "teoria funcional", que deve ser examinada e testada em conexão com os fatos antes de ser finalmente aceita. Por exemplo, após a observação de que vários ímãs atraem aço, foi considerado razoável avançar a hipótese de que "todos os ímãs atraem aço". Da mesma

> forma, foi levantada a hipótese de que "todas as aves são vertebradas, ovíparos, de sangue quente, têm asas e corpo revestido de penas". A observação e a experiência subsequentes estabeleceram a hipótese sobre o ímã e sobre as qualidades gerais da família das aves. Se fosse encontrado um único ímã que não atraísse o aço, a hipótese teria caído. Se uma única ave que não fosse de sangue quente fosse descoberta, essa qualidade teria sido eliminada da lista das características necessárias de todas as aves.

Uma teoria é meramente uma hipótese que foi verificada ou estabelecida por observação, investigação e experimentos contínuos e repetidos.

Hipóteses e teorias surgem com muita frequência da assimilação subconsciente de uma série de fatos particulares e do consequente lampejo de uma "grande suposição" ou "suspeita sagrada da verdade" no campo consciente de atenção. A imaginação científica desempenha papel importante nesse processo. Há, naturalmente, uma diferença enorme entre "uma suposição cega" baseada em dados insuficientes e "uma suposição científica" resultante do acúmulo de um vasto estoque de informações precisas e cuidadosas. Como diz Brooks, "A formação de uma hipótese requer uma mente sugestiva, uma fantasia viva, uma imaginação filosófica que vislumbre a ideia através da forma ou veja a lei por trás do fato". Mas as teorias aceitas, na maioria dos casos, surgem apenas testando e rejeitando muitas hipóteses promissoras e, finalmente, estabelecendo-se naquela que melhor responda a todos os requisitos e melhor explique os fatos. Como uma autoridade diz: "Testar palpites errados é, com a maioria das pessoas, a única maneira de acertar".

III. Testar a hipótese por raciocínio dedutivo é a terceira etapa do raciocínio indutivo. Esse teste é feito aplicando o princípio hipotético a fatos ou coisas particulares, isto é, seguindo mentalmente o princípio hipotético até sua conclusão lógica. Isso pode ser feito desta forma: "Se fulano estiver correto, segue-se que fulano e fulano é verdadeiro", etc. Se a conclusão estiver de acordo com a razão, então o teste é considerado satisfatório até onde foi. Mas se o resultado se revelar um absurdo lógico ou inconsistente com os fatos naturais, então a hipótese é desacreditada.

IV. A verificação prática da hipótese é a quarta etapa do raciocínio indutivo. Essa etapa consiste na comparação real dos fatos observados com as "conclusões lógicas" decorrentes da aplicação do raciocínio dedutivo ao princípio geral assumido como uma premissa. Quanto maior o número de fatos concordando com as conclusões decorrentes da premissa da hipótese, maior é considerada a "probabilidade" desta última. As autoridades geralmente assumem uma hipótese a ser verificada quando ela dá conta de todos os fatos que estão propriamente relacionados a ela. Alguns extremistas afirmam, entretanto, que, antes que uma hipótese possa ser considerada como absolutamente verificada, não apenas ela deve explicar todos os fatos associados, mas também não deve haver nenhuma outra hipótese possível para explicar os mesmos fatos. Os "fatos" referidos nesse contexto podem ser (1) fenômenos observados, (2) as conclusões do raciocínio dedutivo decorrentes da suposição da hipótese ou (3) a concordância entre os fatos observados e as conclusões lógicas. A última combinação é geralmente considerada a mais lógica. A verificação de uma hipótese deve ser "geral", e deve haver um acordo entre os fatos observados e as conclusões lógicas do caso – a hipótese deve "se ajustar" aos fatos, e os fatos devem "se ajustar" à hipótese. Os "fatos" são o sapatinho de cristal da lenda da Cinderela – as várias irmãs da Cinderela eram hipóteses descartadas; o sapato e as irmãs não "se encaixavam". Quando se descobriu que o pé de Cinderela era o único pé no qual cabia o sapato de cristal, a hipótese da Cinderela foi considerada provada – o sapato de cristal era dela, e o príncipe reivindicou sua noiva.

Capítulo XXVII

Raciocínio dedutivo

Vimos no capítulo anterior que, a partir de fatos particulares, raciocinamos indutivamente com base em princípios ou leis gerais. Também vimos que uma das etapas do racioci-nio indutivo é o teste da hipótese pelo raciocínio dedutivo. Veremos agora também que os resultados do raciocínio in-dutivo são usados como premissas ou bases para o racioci-nio dedutivo. Essas duas formas de raciocínio são opostas e, ainda assim, complementares uma à outra; são, em certo sentido, independentes e, ainda assim, interdependentes. Brooks diz: “Os dois métodos de raciocínio são opostos um do outro. Um caminha dos particulares aos gerais; o outro, dos gerais para os particulares. Um é um processo de análi-se; o outro é um processo de síntese. Um sobe dos fatos às leis; o outro desce das leis aos fatos. Cada um é independente do outro, e cada um é um método válido e essencial de conclusão".

Halleck expressa bem o espírito de raciocínio dedutivo da seguinte forma: "Depois que a indução classificou certos fenômenos e, assim, nos deu uma premissa principal, podemos proceder dedutivamente para aplicar a conclusão a qualquer novo modelo que possa ser mostrado como pertencendo a essa classe. A indução entrega à dedução uma premissa pronta. A dedução toma isso como um fato, não fazendo nenhuma investigação a respeito de sua verdade. Só depois que as leis gerais foram estabelecidas, depois que os objetos foram classificados, depois que as premissas principais foram formadas, a dedução pode ser empregada".

O raciocínio dedutivo parte de princípios gerais para fatos particulares. É um processo descendente, analítico em sua natureza. Ele se apoia na base inquestionável fundamental de que "tudo o que é verdadeiro para o todo é verdadeiro para suas partes", ou "tudo que é verdadeiro para o universal é verdadeiro para os particulares".

O processo de raciocínio dedutivo pode ser resumido da seguinte forma: (1) um princípio geral de uma classe é declarado como uma premissa principal; (2) uma coisa particular é declarada como pertencente àquela classe geral, sendo essa declaração a premissa secundária; portanto, (3) considera-se que o princípio geral da classe se aplica à coisa particular, sendo esta última afirmação a conclusão (uma "premissa" é "uma dedução considerada verdadeira").

A seguir temos uma ilustração do processo acima:

I. (Premissa Maior) – Uma ave é um vertebrado, ovíparo, de sangue quente, revestido de penas, e tem asas.

II. (Premissa Menor) – O pardal é um pássaro; portanto,

III. (Conclusão) – O pardal é um vertebrado, ovíparo, de sangue quente, revestido de penas, e tem asas.

Ou ainda:

I. (Premissa Maior) – As cascavéis frequentemente picam quando estão enfurecidas, e sua picada é venenosa.

II. (Premissa Menor) – Esta cobra diante de mim é uma cascavel; consequentemente,

III. (Conclusão) – Esta cobra diante de mim pode picar quando enfurecida, e sua mordida será venenosa.

A pessoa comum pode se permitir contestar que não tem consciência de estar passando por esse processo complicado quando raciocina sobre pardais ou cascavéis. Mas, no entanto, ela está. Ela não está consciente das etapas, porque o hábito mental a acostumou com o processo e é executado mais ou menos automaticamente. Mas essas três etapas se manifestam em todos os processos de raciocínio dedutivo, mesmo nos mais simples. A pessoa comum é como o personagem da peça francesa que ficou surpreso ao saber que ele "vinha falando prosa havia quarenta anos sem saber". Jevons diz que a maioria das pessoas fica igualmente surpresa quando descobre que tem usado formas lógicas mais ou menos corretamente, sem ter percebido. Ele diz: "Um grande número, mesmo de pessoas instruídas, não tem ideia clara do que é a lógica. No entanto, de certa forma, cada um deve ter sido lógico desde que começou a falar".

Existem muitas regras técnicas e princípios de lógica que não podemos tentar considerar aqui. Existem, no entanto, alguns princípios elementares do raciocínio correto que deveriam ter lugar aqui. O que é conhecido como "silogismo" é a expressão em palavras das várias partes do processo completo do raciocínio ou argumento. Whately o define da seguinte maneira: "Um silogismo é um argumento expresso em forma lógica, precisa, de modo que sua conclusão se manifesta apenas na estrutura da expressão, sem qualquer consideração ao significado do termo". Em suma, se as duas premissas são aceitas como corretas, segue-se que pode haver apenas uma conclusão lógica verdadeira resultante delas. No raciocínio abstrato ou teórico, a palavra "se" é assumida como precedendo cada uma das duas premissas, o "portanto" antes da conclusão resultante do "se", é claro. A seguir estão as regras gerais que regem o silogismo:

I. Todo silogismo deve consistir em três, e não mais do que três, questões: (1) a premissa maior, (2) a premissa menor e (3) a conclusão.
II. A conclusão deve resultar naturalmente das premissas, caso contrário, o silogismo é inválido e constitui uma falácia ou sofisma.
III. Uma premissa, pelo menos, deve ser afirmativa.
IV. Se uma premissa é negativa, a conclusão deve ser negativa.
V. Uma premissa, pelo menos, deve ser universal ou geral.
VI. Se uma premissa é particular, a conclusão também deve ser particular.

As duas últimas regras (V e VI) contêm os princípios essenciais de todas as regras relativas aos silogismos, e qualquer silogismo que as quebre também violará outras regras, algumas das quais não são declaradas aqui pelo motivo de serem muito técnicas. Essas duas regras podem ser testadas construindo silogismos que violem seus princípios. A razão é a seguinte: (regra V) "de duas premissas particulares nenhuma conclusão pode ser tirada" – por exemplo: (1) alguns homens são mortais; (2) João é um homem; não podemos raciocinar a partir disso que João é ou não é mortal. A premissa principal deve ser "todos os homens" (regra VI), porque "uma conclusão universal só pode ser tirada de duas premissas universais", um exemplo sendo desnecessário aqui, já que a conclusão é tão óbvia.

CULTIVO DE HABILIDADES DO RACIOCÍNIO

Não existe um caminho perfeito para o cultivo das habilidades do raciocínio. Existe apenas a velha regra familiar: pratique, faça exercícios, use. No entanto, existem alguns estudos que tendem a desenvolver as habilidades em questão. O estudo da aritmética, especialmente da aritmética mental, tende a desenvolver hábitos corretos de raciocínio de uma verdade para outra – da causa para o efeito. Melhor ainda é o estudo da geometria; e o melhor de tudo, é claro, é o estudo da lógica e a prática de resolver seus problemas e exemplos. O estudo da filosofia e da psicologia também é útil dessa maneira. Muitos advogados e professores se exercitaram em geometria apenas com o propósito de desenvolver poderes de raciocínio lógico.

Brooks diz: "A geometria é uma disciplina tão valiosa que muitos advogados e outras pessoas revisam seu conhecimento no assunto todos os anos para manter a mente concentrada em hábitos lógicos de pensamento. O estudo da lógica ajudará no desenvolvimento do poder do raciocínio dedutivo. Ele faz isso, primeiro, mostrando o método pelo qual raciocinamos. Saber como raciocinamos, ver as leis que regem o processo do raciocínio, analisar o silogismo e ver sua conformidade com as leis do pensamento não é apenas um exercício de raciocínio, mas dá aquele conhecimento do processo que será ao mesmo tempo um estímulo e um guia para o pensamento. Ninguém pode rastrear os princípios e processos do pensamento sem conquistar velocidade de pensamento. Em segundo lugar, o estudo da lógica é provavelmente ainda mais valioso, porque proporciona prática no pensamento dedutivo. Esse, talvez, seja o seu valor principal, pois a mente raciocina instintivamente sem saber como raciocina. Pode-se pensar sem o conhecimento da ciência do pensamento, assim como se pode usar a linguagem corretamente sem o conhecimento da gramática; contudo, como o estudo da gramática melhora a fala de alguém, o estudo da lógica só pode melhorar o pensamento".

Na opinião do escritor deste documento, um dos melhores, embora simples, métodos de cultivar as habilidades do raciocínio é familiarizar-se completamente com as falácias mais comuns ou formas de raciocínio falso – tão completamente que não apenas o raciocínio falso seja detectado de uma vez, mas também a razão de sua falsidade seja facilmente compreendida. Compreender as formas erradas de raciocínio é estar em guarda contra elas. Ao nos protegermos delas, tendemos a eliminá-las de nossos processos de pensamento. Se eliminarmos o falso, teremos o verdadeiro em seu lugar. Portanto, recomendamos extirpar do jardim lógico as falácias comuns, a fim de que as flores da pura razão possam florescer em seu lugar. Consequentemente, achamos bom chamar sua atenção, no próximo capítulo, para as falácias mais comuns e a razão de sua falsidade.

Capítulo XXVIII

Raciocínio falacioso

Uma falácia é definida como "um argumento ou modo de argumentar doentio que, embora pareça ser decisivo para uma questão, na realidade não o é; ou uma declaração ou afirmação falaciosa em que o erro não é prontamente aparente. Quando uma falácia é usada para enganar os outros, é chamada de 'sofisma'". É importante que o aluno compreenda a natureza da falácia e entenda suas formas mais comuns. Como diz Jevons, "Ao aprender a fazer o que é certo, é sempre desejável ser informado sobre as maneiras pelas quais podemos errar. Ao descrever a um homem o caminho que ele deve seguir, devemos dizer-lhe não apenas os desvios que ele deve tomar, mas também os desvios que deve evitar. Da mesma forma, é uma parte útil da lógica que nos ensina os caminhos e desvios pelos quais as pessoas mais comumente se perdem no raciocínio".

Ao apresentar a seguinte declaração sobre as formas mais comuns de falácia, omitimos, tanto quanto possível, os detalhes técnicos que pertencem aos livros de lógica.

FALÁCIAS

I. Verdadeiro coletivo, mas falso particular. Um exemplo dessa falácia é encontrado no argumento de que, como a raça francesa, coletivamente, é emotiva, portanto, determinado francês deve ser emotivo. Ou que, porque a raça judaica, coletivamente, é formada por bons empresários, um judeu em particular deve ser um bom homem de negócios. Isso é tão falacioso quanto argumentar que, porque um homem pode se afogar no oceano, ele deve evitar o banho, a bacia ou o copo d'água. Há uma grande diferença entre o todo de uma coisa e suas partes separadas. O ácido nítrico e a glicerina, separadamente, não são explosivos, mas, combinados, formam a nitroglicerina, um explosivo muito perigoso e poderoso. Invertendo essa forma de ilustração, lembramos o velho ditado: "O sal é uma coisa boa, mas ninguém quer ser colocado na salmoura".

II. Conclusão irrelevante. Essa falácia consiste em introduzir na conclusão a questão não contida nas premissas, ou na confusão da questão. Por exemplo: (1) todos os homens são pecadores; (2) John Smith é um homem; portanto, (3) John Smith é um ladrão de cavalos. Isso pode parecer absurdo, mas muitos argumentos são tão mentirosos quanto esse, e pelo mesmo motivo. Ou outra forma mais sutil: (1) todos os ladrões são mentirosos; (2) John Smith é um mentiroso; portanto, (3) John Smith é um ladrão. O primeiro exemplo surge da introdução de um novo assunto, e o último, da confusão do assunto.

III. Causa falsa. Essa mentira consiste em atribuir causa a algo que é meramente coincidente com o efeito, ou o precede. Por exemplo: (1) o galo canta um pouco antes ou no momento do nascer do sol; portanto, (2) o canto do galo é a causa do nascer do sol. Ou ainda: (1) as más colheitas seguiram a eleição de um presidente do partido Whig; consequentemente, (2) o partido Whig é a causa das más colheitas. Ou ainda: (1) onde a civilização é mais elevada, encontramos o maior número de cartolas; portanto, (2) cartolas são a causa da civilização.

IV. Raciocínio circular. Nessa forma de falácia, a pessoa que raciocina ou argumenta se esforça para explicar ou provar uma coisa por si mesma ou em seus próprios termos. Por exemplo: (1) o partido Whig é honesto porque defende princípios honestos; (2) os princípios do partido Whig são honestos porque são defendidos por um partido honesto. Uma forma comum dessa falácia em sua fase de sofisma é o uso de sinônimos de tal maneira que parecem expressar mais do que a concepção original, ao passo que, na verdade, são apenas outros termos para a mesma coisa. Um exemplo histórico de raciocínio circular é o seguinte: (1) a Igreja da Inglaterra é a Igreja verdadeira, porque foi estabelecida por Deus; (2) deve ter sido estabelecida por Deus, porque é a Igreja verdadeira. Essa forma de sofisma é mais eficaz quando empregada em longos argumentos em que se torna difícil detectá-la.

V. Assumir a conclusão. Essa falácia surge do uso de uma premissa falsa, ou pelo menos de uma premissa cuja verdade não é admitida pelo oponente. Pode ser afirmada, simplesmente, como "a suposição injustificada de uma premissa, geralmente a premissa maior". Muitas pessoas na vida pública discutem dessa maneira. Eles corajosamente afirmam uma premissa injustificada e, em seguida, passam a argumentar logicamente a partir dela. O resultado é confuso para a pessoa mediana, pois, com as etapas do raciocínio seguindo uma lógica, parece que o argumento é válido, negligenciando-se o fato de a premissa ser injustificada. A pessoa que usa essa forma de sofisma segue a teoria da verdade de Aaron Burr como "aquilo que é afirmado com ousadia e sustentado de maneira plausível".

Bulwer faz um de seus personagens mencionar uma forma particularmente perversa dessa falácia (embora divertida) nas seguintes palavras: "Sempre que você estiver prestes a dizer algo incrivelmente falso, sempre comece com: 'É um fato reconhecido', etc. Sir Robert Filmer era um mestre dessa maneira de escrever. Assim, com aquele rosto solene, esse grande homem tentou trapacear. Ele dizia: 'É uma verdade inegável que não pode haver qualquer multidão de homens, sejam grandes ou pequenos etc., sem que entre eles haja um que na natureza tem o direito de ser rei de todo o resto – como sendo o próximo herdeiro de Adão!'".

Procure atentamente a premissa maior das questões apresentadas no argumento, falado ou escrito. Certifique-se de que a pessoa que está fazendo a proposição não está "assumindo a conclusão" por meio da suposição injustificada da premissa.

REGRA GERAL DE DEDUÇÃO

Hyslop diz sobre deduções válidas e mentirosas: "Não podemos deduzir algo que desejamos a partir de quaisquer premissas que desejamos. Devemos nos conformar a certas regras ou princípios definidos. Qualquer violação delas será uma mentira. Existem duas regras simples que não devem ser violadas: (1) o assunto na conclusão deve ser do mesmo tipo geral que nas premissas; (2) os fatos que constituem as premissas devem ser aceitos e não devem ser fictícios". A observação detalhada dessas regras resultará na detecção e na prevenção das principais formas de raciocínio e sofismas falaciosos.

ARGUMENTOS SOFÍSTICOS

Há uma série de práticas enganosas às quais as pessoas recorrem na discussão, que são falaciosas em intenção e resultado, que não consideramos aqui em detalhes, pois dificilmente pertencem ao assunto específico deste livro. Algumas breves citações, entretanto, podem ser permitidas a título de informações gerais. Aqui estão as principais delas:

(1) Argumentar que uma teoria é correta porque o oponente não pode provar o contrário. A falácia é vista quando percebemos que a afirmação "A lua é feita de queijo verde" não foi provada porque não podemos provar o contrário. Não é a falha em negar uma proposição que realmente a prova; e não é a falha em provar uma proposição que realmente a refuta. Como regra geral, a responsabilidade da prova recai sobre a pessoa que declara a afirmação, e seu oponente não é chamado para contestar ou então considerá-la provada. A velha frase "Você não pode provar que não é assim" é baseada em uma concepção falaciosa.

(2) Injúria do oponente, de seu partido ou de sua causa. Esse não é um argumento ou raciocínio efetivo. É o mesmo que provar um fato batendo na cabeça do opositor.

(3) Argumentar que um oponente não vive de acordo com seus princípios não é argumento contra os princípios que ele defende. Um homem pode defender o princípio da sobriedade e ainda assim beber em excesso. Isso simplesmente prova que ele prega melhor do que pratica; mas a verdade do princípio da sobriedade não é afetada de forma alguma por isso. A prova disso é que ele pode mudar suas práticas, e não se pode afirmar que a mudança de seus hábitos pessoais melhora ou muda a natureza do princípio.

(4) O argumento da autoridade não é baseado na lógica. A autoridade é valiosa quando é realmente digna e tão somente como corroboração ou acréscimo; mas não é um argumento lógico. As razões da autoridade por si só constituem um argumento efetivo. O abuso dessa forma de argumento é mencionado na referência acima "assumir a conclusão", na citação de Bulwer.

(5) Apelar ao preconceito ou à opinião pública não é um argumento válido, pois a opinião pública frequentemente está errada, e o preconceito é frequentemente injustificado. E, na melhor das hipóteses, eles "nada têm a ver com o caso" do ponto de vista da lógica. O abuso do testemunho e da evidência reivindicada também merece ser examinado, mas não podemos entrar aqui no assunto.

QUEDAS DE PRECONCEITO

Mas talvez as mais perigosas de todas as falácias na busca da verdade por parte da maioria de nós sejam aquelas que surgem do seguinte:

(1) A tendência de raciocinar a partir do que sentimos e desejamos ser verdade, em vez de a partir dos fatos reais do caso, o que nos faz inconscientemente assumir a atitude mental de "se os fatos concordam com nossos gostos e teorias prediletas, está tudo bem; se não, problema dos fatos".

(2) A tendência de todos nós a perceber apenas os fatos que concordam com nossas teorias e ignorar os outros. Encontramos aquilo que buscamos e negligenciamos o que não nos interessa. Nossas descobertas seguem nosso interesse, e nosso interesse segue nossos desejos e crenças.

O homem ou mulher inteligente percebe essas tendências da natureza humana e se esforça para evitá-las em seu próprio raciocínio, mas está profundamente consciente delas nos argumentos e raciocínios dos outros. Deixar de observar e de se proteger contra essas tendências resulta em fanatismo, intolerância, limitação e distorção intelectual.

Capítulo XXIX

A vontade

As atividades da vontade constituem a terceira grande classe dos processos mentais. Os psicólogos sempre divergiram muito em suas concepções do que constitui essas atividades. Ainda hoje é difícil obter uma definição no dicionário sobre a vontade que corresponda à melhor opinião sobre o assunto. Os dicionários seguem a velha classificação e concepção que considerava a vontade como "aquela habilidade da mente ou da alma pela qual ela escolhe ou decide". Mas, com o crescimento da ideia de que a vontade age de acordo com o motivo mais forte, e que o motivo é fornecido pela média atingida entre os desejos do momento, sob a supervisão do intelecto, a concepção da vontade como escolha e decisão está perdendo a preferência. No lugar da concepção mais antiga veio a mais nova, que afirma que a vontade está primariamente preocupada com a ação.

É difícil colocar a vontade na categoria dos processos mentais. Mas é geralmente aceito que ela reside no próprio centro do ser mental e está intimamente associada ao que é chamado de ego, ou eu. A vontade parece ter pelo menos três fases gerais: (1) a fase do desejo, (2) a fase de deliberação ou escolha e (3) a fase de expressão em ação. Para compreender a vontade, é necessário considerar cada uma dessas três fases de suas atividades.

(1). Desejo

A primeira fase da vontade, chamada "desejo", é em si um tanto complexa. Em seu lado primário, ele toca e, de fato, se mistura com sentimento e emoção. Seu centro consiste em um estado de tensão, semelhante ao de uma mola espiral ou de um gato agachado pronto para um salto. Em seu lado superior, ele alcança, penetra e se mistura com as outras fases da vontade que mencionamos.

O desejo é definido como "um sentimento, emoção ou excitação da mente voltada para a obtenção, usufruto ou posse de algum objeto do qual se espera prazer, lucro ou gratificação". Halleck nos dá a seguinte concepção do espírito movido pelo desejo: "O desejo tem por objeto algo que vai trazer prazer ou livrar da dor, imediata ou remota, para o indivíduo ou para alguém por quem ele se interessa. Aversão, ou um esforço para se afastar de algo, é apenas o aspecto negativo do desejo".

Na declaração de Halleck acima citada, temos a explicação do papel desempenhado pelo intelecto nas atividades da vontade. O intelecto é capaz de perceber as relações entre a ação presente e os resultados futuros, e é capaz de apontar o caminho para a supressão de alguns desejos para que outros melhores se manifestem. Ele também tem como propósito regular a "melhor combinação" entre desejos conflitantes. Sem a intervenção do intelecto, o desejo temporário do momento invariavelmente seria posto em prática sem levar em conta os resultados ou consequências futuras para si mesmo e para os outros. Também serve para apontar os caminhos de uma ação calculada para dar a expressão mais satisfatória do desejo.

Embora seja fato que a ação da vontade depende quase inteiramente da força motriz do desejo, também é verdade que o desejo pode ser criado, regulado, suprimido e até morto pela ação da vontade. A vontade, ao dar ou recusar atenção a certa classe de desejos, pode fazer com que cresçam e se fortaleçam, ou então morram e desapareçam. Deve ser lembrado, entretanto, que esse uso da própria vontade surge de outro conjunto de desejos ou sentimentos.

O desejo é despertado por sentimentos ou emoções que vêm dos planos subconscientes da mente e buscam expressão e manifestação. Já consideramos a natureza dos sentimentos e emoções nos capítulos anteriores, que devem ser interpretados em conexão com este capítulo. Deve ser lembrado que o sentimento ou o lado emocional do desejo surge tanto de memórias herdadas da raça, existindo como instintos, quanto da memória de experiências passadas do indivíduo. Em alguns casos, o sentimento se manifesta primeiro em uma vaga inquietação causada por estímulos e impulsos subconscientes. Então a imaginação retrata o objeto do sentimento, ou certas imagens da memória relacionadas a ele, e o desejo se manifesta assim no plano da consciência.

A entrada do sentimento de desejo na consciência é acompanhada por aquela peculiar tensão que marca a segunda fase do desejo. Essa tensão, quando suficientemente forte, passa para a terceira fase do desejo, ou aquela em que o desejo se funde com a ação da vontade. O desejo, nesse estágio, exige da vontade expressão e ação. De mero sentimento e tensão, torna-se um apelo à ação. Mas, antes que a expressão e a ação sejam dadas a ele, a segunda fase da vontade deve se manifestar pelo menos por um momento; essa segunda fase é conhecida como deliberação, ou avaliação e ponderação dos desejos.

(2). Deliberação

A segunda fase da vontade, conhecida como deliberação, é mais do que o processo puramente intelectual que o termo indicaria. O intelecto desempenha papel importante, é verdade, mas também há uma ponderação e compensação dos desejos quase instintivos e automáticos. Raramente há apenas um desejo apresentando suas reivindicações sobre a vontade em determinado momento. É verdade que ocasionalmente surge um desejo emocional de tal poder e força dominantes que atropela todos os outros reclamantes da banca da deliberação. Mas esses casos são raros, e, como regra, há uma série de requerentes rivais, cada um insistindo em seus direitos no assunto em questão. No homem de intelecto fraco ou subdesenvolvido e destreinado, a luta geralmente é pouco mais do que um breve combate entre vários desejos, no qual vence o mais forte no momento. Mas, com o desenvolvimento do intelecto, novos fatores surgem e novas forças são sentidas. Além disso, quanto mais complexa a natureza emocional de uma pessoa, e quanto maior o desenvolvimento das formas superiores de sentimento, mais intensa é a luta da deliberação ou a luta dos desejos.

Vemos, na definição de Halleck, que o desejo não apenas tem o objetivo de "trazer prazer ou livrar da dor", mas também o elemento adicional do bem-estar de "alguém em quem ele está interessado" é adicionado, elemento esse que frequentemente é um fator decisivo. Esse elemento, é claro, surge do desenvolvimento e cultivo da natureza emocional de uma pessoa. Da mesma forma, também vemos que não é apenas o bem-estar imediato de si mesmo ou daqueles em quem se está interessado que aparece, mas também o bem-estar longínquo. Essa consideração do bem-estar futuro depende do intelecto e da imaginação cultivada sob seu controle. Além disso, o intelecto treinado é capaz de descobrir uma possível satisfação maior em algum curso de ação diferente daquele provocado pelo clamoroso desejo do momento. Isso explica por que o julgamento e a ação de um homem inteligente, via de regra, são muito diferentes dos de um homem não inteligente; e também por que um homem de cultura tende para uma ação diferente daquela dos incultos; da mesma forma, por que o homem de grandes aptidões e ideais elevados age de maneira diferente de um homem do tipo oposto. Mas o princípio é sempre o mesmo – os sentimentos manifestam-se no desejo, a maior satisfação final aparente é procurada nesse momento, e o mais forte conjunto de desejos ganha o dia.

O comentário de Halleck sobre esse ponto é interessante: "O desejo nem sempre é proporcional à ideia do próprio prazer egoico. Muitas pessoas, depois de formar uma ideia da vasta angústia terrena, desejam aliviá-la, e o desejo sai em ação, como as sociedades solidárias são testemunhadas em vários lugares. Aqui o prazer individual não é menor, mas é secundário, vindo do prazer dos outros. O desejo do próximo frequentemente levanta um desejo mais forte do que o do longínquo. Uma criança frequentemente prefere algo imediatamente mesmo se for um décimo do que algo que ela teria daqui a um ano. Um estudante geralmente deseja mais o lazer de hoje do que o sucesso dos anos futuros. Embora advertido a estudar, ele perde seu tempo e, portanto, perde um prazer futuro incomparavelmente maior quando comparado na luta pela existência".

O resultado dessa ponderação e compensação do desejo é, ou deveria ser, decisão e escolha, que então passa à ação.

Mas muitas pessoas parecem incapazes de "decidir por si mesmas" e precisam de um empurrão ou impulso de fora antes de agirem. Outros decidem, sem o uso adequado do intelecto, pelo que chamam de "impulso", mas que é apenas impaciência. Alguns são como o lendário burro que morreu de fome quando colocado a uma distância igual entre dois montes de feno igualmente atraentes e foi incapaz de decidir para onde se mover. Outros seguem o exemplo de Jeppe, na comédia, que, ao receber uma moeda para comprar um sabonete para sua esposa, ficava na esquina pensando se obedecia às ordens ou se comprava uma bebida com o dinheiro. Ele quer a bebida, mas percebe que a esposa vai bater nele se voltar sem o sabonete. "Meu estômago diz bebida; minhas costas dizem sabão", diz Jeppe. "Mas", ele finalmente comenta, "não é para ele o estômago de um homem mais do que as costas? Sim, eu digo."

A decisão final depende de encontrar um equilíbrio entre os desejos – o peso do desejo a favor e do desejo contra –, o desejo por isso e o desejo por outra coisa. A força dos vários desejos depende da proximidade e do interesse presente que surge da atenção, aplicada aos sentimentos e emoções decorrentes da hereditariedade, ambiente, experiência e educação, que constituem o caráter; e também do grau de clareza intelectual e poder de formar julgamentos corretos entre os desejos.

Deve ser lembrado, no entanto, que o intelecto aparece não como um oponente do princípio da satisfação do desejo, mas apenas como um instrumento do ego para determinar qual curso de ação resultará na maior satisfação final, direta ou indireta, presente ou futura. Pois, por fim, todo indivíduo age de modo a trazer-se a maior satisfação, imediata ou futura, direta ou indireta, pessoal ou pelo bem-estar de outrem, conforme lhe possa parecer no momento particular da deliberação. Sempre agimos na direção daquilo que irá "contentar nosso espírito". Esse será o espírito de todas as decisões, embora o motivo seja frequentemente oculto e difícil de encontrar até mesmo pelo próprio indivíduo. Muitos dos motivos mais fortes têm origem nos planos subconscientes da mentalidade.

(3). Ação

A terceira e última fase da vontade é aquela conhecida como ação – o ato de vontade pelo qual a ideia-desejo se expressa em atividade física ou mental. A antiga concepção da vontade sustentava que a fase decisiva da vontade era sua fase característica e final, ignorando o fato de que a própria essência ou espírito da vontade está ligada à ação. Mesmo aqueles familiarizados com a concepção mais recente frequentemente assumem que o ato de decisão é a fase final da vontade, ignorando o fato de que constantemente decidimos fazer uma coisa e ainda assim podemos nunca realizar a intenção e a decisão. O ato de querer não está completo a menos que a ação seja expressa. Deve haver a manifestação do elemento motor ou fase da vontade, senão o processo da vontade fica incompleto.

Uma fraqueza dessa última fase da vontade afeta toda a vontade e torna seus processos ineficazes. O mundo está cheio de pessoas que são capazes de decidir o que é melhor fazer e o que deve ser feito, mas que nunca realmente agem sobre a decisão. As poucas pessoas que prontamente seguem a decisão com ação vigorosa são as que realizam as obras do mundo. Sem a plena manifestação dessa terceira fase da vontade, as outras duas fases são inúteis.

TIPOS DE VONTADE

Até agora consideramos apenas o tipo mais elevado de vontade – aquela que é acompanhada pela deliberação consciente, na qual o intelecto toma parte ativa. Nesse processo, não apenas os sentimentos conflitantes se impõem com reivindicações opostas de reconhecimento, mas também o intelecto está ativo no exame do caso e oferecendo testemunho valioso quanto aos méritos comparativos dos vários requerentes e o efeito de certos cursos de ação sobre o indivíduo. Existem, no entanto, várias formas inferiores de manifestação de vontade que devemos considerar brevemente de passagem.

Atos reflexos. A vontade é movida para a ação pelas atividades reflexas do sistema nervoso que foram mencionadas nos capítulos anteriores deste livro. Nesse tipo geral, encontramos ação reflexa inconsciente, como aquela que se manifesta quando uma pessoa que dorme é tocada e se afasta, ou quando a perna da rã estremece quando a extremidade nervosa é tocada. Também encontramos ação reflexa consciente, como aquela manifestada pelo piscar de olhos, ou a realização de movimento físico habitual, como o movimento ao caminhar, operar uma máquina de costura ou máquina de escrever, tocar piano, etc.

Ações impulsivas. A vontade é constantemente movida para a ação por uma ideia vaga ou percepção vaga de propósito ou impulso. A ação é quase instintiva, embora haja uma vaga percepção de propósito. Por exemplo, sentimos um impulso de nos voltar para a fonte de um som ou visão estranha, ou outra fonte de interesse ou curiosidade. Ou podemos sentir um impulso surgindo do plano subconsciente de nossa mente, causando uma ideia vagamente consciente de movimento ou ação para aliviar a tensão. Por exemplo, alguém pode sentir vontade de fazer exercícios, ou de buscar ar puro ou campos verdes, embora não tenha pensado nessas coisas naquele momento. Esses impulsos surgem de um sentimento subconsciente de fadiga ou desejo de mudança que, somado a uma ideia transitória, produz o impulso. A menos que um impulso seja inibido pelas atividades da vontade inspiradas por outros desejos, hábitos, ideias ou ideais, agimos de acordo com ele exatamente da mesma maneira que uma criança ou animal o faz. Hoffding diz sobre esse tipo de ação: "A condição psicológica do impulso é que, com os sentimentos e as sensações momentâneas, deve-se combinar uma ideia mais ou menos clara de algo que pode aumentar o prazer ou diminuir a dor do momento".

Ações instintivas. A vontade é constantemente movida para a ação por um estímulo instintivo. Essa forma de atividade da vontade se assemelha muito à última forma mencionada, e, frequentemente, é impossível distinguir entre as duas. As atividades da abelha na construção do favo e no armazenamento do mel, o trabalho do bicho-da-seda e da lagarta na construção de seus locais de descanso são exemplos dessa forma de ação. Na verdade, até mesmo a construção do ninho do pássaro pode ser assim classificada. Nesses casos, há uma ação inteligente em direção a um fim definido, mas o animal não tem consciência desse fim. As experiências dos ancestrais remotos dessas criaturas registram suas impressões na mente subconsciente da espécie e são transmitidas de alguma forma a todas as espécies. O sistema nervoso de todos os seres vivos é um cilindro de registro das experiências de seus primeiros ancestrais, e esses cilindros tendem a reproduzir essas impressões em ocasiões apropriadas. Nos capítulos anteriores, mostramos que até o homem está sob a influência do instinto em maior extensão do que ele imagina.

Capítulo XXX

Treinamento da vontade

É de extrema importância que o indivíduo desenvolva, cultive e treine sua vontade de modo a colocá-la sob a influência da parte superior de seu ser mental e moral. Embora a vontade seja usada de maneira mais eficaz no desenvolvimento e treinamento do intelecto e na edificação do caráter, ela mesma deve ser treinada por si mesma para habitualmente ficar sob a orientação do intelecto e sob a influência daquilo que chamamos caráter.

A influência da vontade treinada sobre as várias habilidades mentais é mais marcante. Não há habilidades que não possam ser cultivadas pela vontade. As primeiras e grandes tarefas da vontade nessa direção são o controle e o direcionamento da atenção. A vontade determina o tipo de interesse que prevalecerá no momento, e o tipo de interesse determina em grande parte o caráter do homem, seus gostos, seus sentimentos, seus pensamentos, seus atos.

Gordy diz: "Cooperando com uma influência pré-existente, a vontade pode fazer com que uma mais fraca prevaleça sobre uma mais forte. Determina quais das influências pré-existentes terão controle sobre a mente".

Além disso, a atenção concentrada e contínua depende inteiramente do exercício da vontade. Como diz Gordy: "Se a vontade afrouxa seu controle sobre as atividades da mente, a atenção corre o risco de ser levada por qualquer um dos milhares de ideias que as leis da associação estão constantemente trazendo à nossa mente".

Mesmo no que diz respeito às imagens mentais, a vontade afirma seu domínio, e a imaginação pode ser treinada para ser a serva obediente da vontade desenvolvida. A respeito da influência da vontade sobre o ser, Davidson diz: "Não é suficiente que um homem compreenda corretamente e ame devidamente as condições da vida moral em seu próprio tempo; ele deve, ainda mais, estar disposto e ser capaz de cumprir essas condições. E ele certamente não pode fazer isso a menos que sua vontade seja treinada para a liberdade perfeita, de modo que responda, com a maior prontidão, às sugestões de sua inteligência discriminadora e aos movimentos de suas afeições disciplinadas". Halleck diz que "Gradualmente, formamos nosso ser por atos de vontade separados, assim como um ferreiro, por meio de golpes repetidos, modela uma ferradura ou uma proteção para um casco de ferro. Uma proteção ou ferradura acabada nunca foi o produto de um único golpe".

TREINANDO A VONTADE

Talvez a melhor maneira de treinar a vontade seja utilizá-la com inteligência e com um propósito. O treinamento de qualquer habilidade da mente é ao mesmo tempo um treinamento da vontade. Estando a atenção tão intimamente ligada à vontade, verifica-se que um cuidadoso treinamento da atenção resultará no fortalecimento da vontade. O treinamento do lado emocional da própria natureza também traz resultados no fortalecimento da vontade.

Halleck dá a seus alunos excelentes conselhos sobre o treinamento da vontade. Seria difícil encontrar algo melhor nesse sentido do que estas anotações: "Nada ensina a vontade e a torna mais pronta para o esforço neste mundo complexo do que acostumá-la a enfrentar coisas desagradáveis. O professor James aconselha todos a fazerem algo ocasionalmente, por nenhuma outra razão além de preferir não o fazer, mesmo que seja apenas abrir mão de uma vaga em um ônibus. Ele compara esse esforço ao seguro que um homem paga em sua casa. Ele tem algo a que pode recorrer em tempos de dificuldade. Uma vontade assim disciplinada está sempre pronta para responder, não importa quão grande seja a emergência. Enquanto outro estaria chorando sobre o leite derramado, o detentor de tal legado já encontrou outra vaca. A única maneira de disciplinar essa vontade é praticar coisas desagradáveis. Existem oportunidades diárias. Um homem que havia declarado sua aversão ao que considerava os fatos áridos da economia política foi um dia encontrado franzindo a testa por causa de um capítulo de John Stuart Mill. Quando um amigo expressou surpresa, o homem respondeu: 'Estou bancando o professor comigo mesmo. Estou lendo isso porque não gosto'. Tal homem tem os elementos de sucesso nele. Por outro lado, quem habitualmente evita a ação desagradável está treinando sua vontade para não lhe ser útil em um momento em que o esforço supremo é exigido. Tal vontade nunca pode abrir caminhos na vida".

HÁBITOS

Os hábitos são a trilha pela qual a vontade se desloca. A estrada trilhada do hábito é o caminho de menor resistência para a vontade. Aquele que deseja treinar sua vontade deve prestar atenção em prover-lhe os caminhos mentais adequados para caminhar. A regra para a criação de hábitos é simplesmente esta: viaje pelo caminho mental tão regularmente quanto possível. A regra para quebrar hábitos indesejáveis é esta: cultivar o hábito oposto. Nessas duas regras é expressa a essência do que foi escrito sobre o assunto.

O professor William James deixou para o mundo alguns conselhos valiosos a respeito do cultivo de bons hábitos. Ele baseia suas regras nas do professor Bain, as elabora e acrescenta outras igualmente boas. Aqui citamos espontaneamente James e Bain sobre esse assunto; é o que há de melhor já escrito sobre a construção de hábitos.

I. "Na aquisição de um novo hábito, ou no abandono de um antigo, comece com a iniciativa mais forte e decidida possível. Isso dará ao seu novo começo um ímpeto tão intenso que a tentação de desmoronar não ocorrerá tão cedo como poderia acontecer; e cada dia durante o qual um colapso é adiado aumenta as chances de ele não ocorrer." – James.

II. "Nunca permita que uma exceção ocorra até que o novo hábito esteja firmemente enraizado em sua vida. Cada lapso é como deixar cair um novelo de corda que se enrola cuidadosamente – um único deslize desfaz muito mais do que você foi capaz de dar." – James. "É necessário, acima de tudo, em tal situação, nunca perder uma batalha. Cada ganho do lado errado desfaz o efeito de muitas conquistas do lado certo. A precaução essencial consiste em regular os dois poderes opostos para que um possa ter uma série de sucessos ininterruptos, até que a repetição o fortaleça a tal ponto que lhe permita enfrentar a oposição, em quaisquer circunstâncias." – Bain.

III. "Aproveite a primeira oportunidade possível para agir em cada resolução que você fizer e em cada impulso emocional que possa experimentar na direção dos hábitos que você aspira adquirir. Não é no momento de sua formação, mas no momento de sua produção de efeitos motores, que as resoluções e aspirações comunicam seu novo 'conjunto' ao cérebro." – James. "A presença real da oportunidade prática por si só fornece o eixo sobre o qual a alavanca pode se apoiar, por meio do qual a vontade moral pode multiplicar sua força e se erguer. Aquele que não tem base sólida para pressionar nunca irá além do estágio de fazer gestos vazios." – Bain.

IV. "Mantenha a habilidade viva em você por meio de um pequeno exercício simples todos os dias. Ou seja, seja sistematicamente ascético ou heroico em pontos pequenos e desnecessários; faça todos os dias algo pelo único motivo de que você prefere não fazer, de modo que, quando a hora de extrema necessidade se aproximar, você não seja pego nervoso e destreinado para passar no teste. O homem que diariamente se acostumou a hábitos de atenção concentrada, vontade enérgica e abnegação em coisas desnecessárias ficará como um forte quando tudo balançar ao seu redor, e quando seus companheiros mortais mais sutis forem esfarelados como palha na explosão." – James.

Capítulo XXXI

Tônico para fortalecer a vontade

Além das regras gerais para desenvolver e treinar a vontade apresentadas no capítulo anterior, pedimos que tonifique e fortaleça a vontade pela inspiração que deriva das palavras de alguns dos maiores pensadores do mundo. Nessas palavras, há uma declaração tão vital de reconhecimento, realização e manifestação de algo interno que chamamos de "vontade", que certamente apenas uma alma entorpecida não será inspirada pelo contágio da ideia. Essas expressões são os marcos no Caminho da Realização, colocados por aqueles que nos precederam na jornada. Colocamos essas citações sem comentários, elas falam por si sós.

PALAVRAS DOS SÁBIOS

"Pode quem pensa que pode. Caráter é uma vontade perfeitamente disciplinada."

"Nada pode resistir à vontade de um homem que
sabe o que é verdadeiro e deseja o que é bom."

"Em todas as dificuldades, avance e deseje,
pois dentro de você está um poder, uma força
viva, que, quanto mais você confiar e aprender
a usar, aniquilará a oposição da questão."

"A estrela da vontade invencível
surge no meu peito, serena, firme e imóvel,
calma e senhora de si.

"Tão perto está a grandeza do nosso pó,
Tão perto está Deus do homem,
Quando o dever sussurra baixo 'Você deve!'
O jovem responde: 'Eu posso!'"

"Quanto mais vivo, mais tenho certeza de que a grande
diferença entre os homens, entre os fracos e os poderosos,
os grandes e os insignificantes, é a energia, determinação
invencível, um propósito uma vez estabelecido, e então
morte ou vitória. Essa qualidade fará qualquer coisa que
possa ser feita neste mundo, e nenhum talento, nenhuma
circunstância, nenhuma oportunidade fará de uma
criatura de duas pernas um homem sem ela." – Buxton.

"A vontade humana, essa força invisível,

A descendência de uma alma imortal,
Abre caminhos para qualquer objetivo,
Embora haja paredes de granito.

"Você será o que você será;
Deixe o fracasso encontrar seu vazio
Nesse ambiente pobre da palavra,
que o espírito o despreza e estará livre.

"Domine o tempo, ele conquista o espaço,
Ele intimida aquele trapaceiro arrogante, o acaso,
E oferece a circunstância soberana
Tire a coroa e ocupe o lugar de um servo."

"A determinação é o que torna o homem manifesto; não a determinação insignificante, não as determinações grosseiras, não o propósito errôneo, mas aquela vontade forte e infatigável que destitui as dificuldades e o perigo como um menino pisa nas terras geladas do inverno, que acende seus olhos e mente com uma pulsação honrada em direção ao inatingível. A vontade torna os homens gigantes." – Donald G. Mitchell.

"Não há acaso, destino ou sorte que
possa contornar, obstruir ou controlar
a firme resolução de uma alma determinada.
Os prazeres não valem nada, só a vontade é grande;

Todas as coisas cedem cedo ou tarde.
Que obstáculo pode impedir a força poderosa
Do rio que procura o mar em seu curso,
Ou faça com que o sol da manhã espere?
Cada alma bem-nascida deve conquistar o que merece.
Que os tolos tagarelem da sorte. O afortunado
É aquele cujo propósito sincero nunca se desvia,
Cuja menor ação, ou inação,
Atende a um grande objetivo. Ora, até mesmo a morte
Fica parada e às vezes espera o momento certo
Por tal vontade." – Ella Wheeler Wilcox.

"Me convenci, por meio de longa meditação, de que um ser humano com um propósito estabelecido deve alcançá-lo, e que nada pode resistir a uma vontade que arriscará até a existência em seu cumprimento." – Lord Beaconsfield.

"Um desejo apaixonado e uma vontade incansável podem realizar impossibilidades, ou o que pode parecer muito para os frios e fracos." – Sir John Simpson.

"É maravilhoso como até mesmo os desastres da vida parecem se curvar a um espírito que não se curvará a eles, e ceder para servir a um desígnio que eles podem, em sua primeira tendência aparente, ameaçar frustrar. Quando um espírito firme e decidido é reconhecido, é curioso ver como o espaço se abre ao redor de um homem e cria espaço e liberdade." – John Foster.

"A grande virtude do General Grant é a persistência leal ao propósito. Ele não fica entusiasmado facilmente e tem as garras de um buldogue. Quando ele agarra algo, nada pode afastá-lo." – Abraham Lincoln.

"Eu sou maior do que qualquer coisa que pode acontecer comigo. Todas essas coisas estão do lado de fora da minha porta, e eu tenho a chave. O homem foi feito para ser, e deve ser, mais forte e maior do que qualquer coisa que pode acontecer a ele. As circunstâncias, 'Destino', 'Sorte', estão todas do lado de fora; e se ele não pode mudá-las, ele sempre pode combatê-las." – Charles F. Lummis.

"A sabedoria mais verdadeira é uma determinação inabalável."

"Impossível é uma palavra encontrada apenas no dicionário dos tolos."

"Circunstâncias! Eu crio circunstâncias!" – Napoleão.

"Aquele que falha apenas pela metade, deseja." – Suwarrow.

"O que mais fácil se torna um hábito em nós é a vontade. Aprenda, então, a desejar forte e decisivamente; assim, fixe sua vida flutuante e não a deixe mais ser carregada de um lado para outro, como uma folha seca, por todo vento que sopra."

"O homem deve seu crescimento principalmente àquele esforço ativo da vontade – aquela batalha que chamamos de esforço –, e é surpreendente descobrir quantas vezes resultados aparentemente impraticáveis se tornam possíveis. É a vontade – força de propósito – que permite a um homem fazer ou ser o que quer que ele determine ser ou fazer."

"Um propósito forte e desafiador é multifacetado e se apodera de tudo o que estiver próximo que possa servi-lo; ele tem um propósito magnético que atrai para si tudo o que for semelhante. Que seja seu primeiro objetivo ensinar ao mundo que você não é madeira e palha, que existe um pouco de ferro em você." – Munger.

"Seja obstinado assim como ele."
– provérbio de Yorkshire.

"Um talento alimentado pela vontade realizará dez vezes mais coisas que um sem vontade, assim como um cartucho cheio de pólvora em um rifle, cujo cano

lhe dará direção, terá um desempenho maior do que
se queimasse pólvora ao ar livre." – O.S. Marden.

"A vontade pode não dotar o homem de talentos
ou capacidades; mas faz uma coisa muito
importante – permite que ele faça o melhor,
o melhor, de seus poderes." – Fothergill.

"Com as mãos macias, afaga o sofrimento
E isso machuca você por suas dores.
Agarre-o como um homem de coragem,
E ainda é macio como penugem."

"Não vacile; não cometa erros; acerte a
linha com força." – Roosevelt.

"Quanto mais dificuldades alguém tiver
que vencer, dentro e fora, mais significativa
e mais inspirada será sua vida."

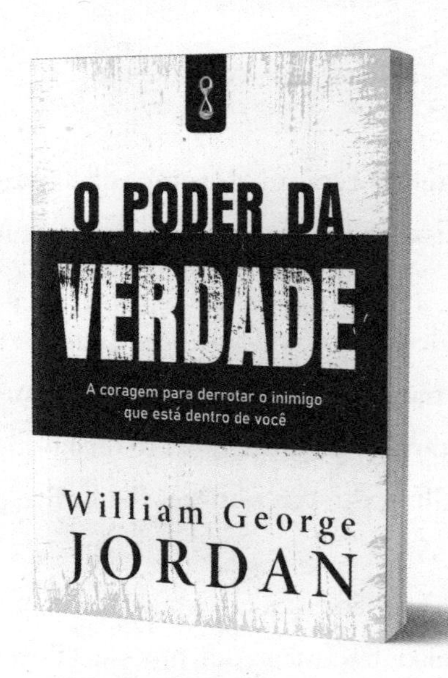

A verdade é imprescindível e sempre compensa

Não importa o tamanho da decisão que você precise tomar, a verdade deve ser nosso guia e inspiração constante. Ela não é um traje de gala, exclusiva a ocasiões especiais, mas sim a base para a vida diária.

Este livro é um guia muito poderoso, selecionado por estudiosos como parte do conhecimento de nossa civilização como a conhecemos para que fiquemos longe das armadilhas comuns do autoengano. Até hoje, contribui positivamente para a humanidade, em qualquer lugar e época.

Jordan defende que o indivíduo deve pensar por si próprio, desenvolver seus sentidos e controlar sua emoção. A educação institucionalizada não basta para formar seu caráter e basilar suas decisões, por isso a verdade deve ser desenvolvida assim como qualquer outra habilidade.

A partir dos ensinamentos de William George Jordan, faça como muitos outros nas últimas décadas e aprenda a desenvolver seu senso crítico, suas habilidades e seu grande poder interno: utilizar a verdade durante toda a sua jornada em qualquer situação.

Descubra o segredo do autocontrole

Este livro foi selecionado por estudiosos como um verdadeiro artefato histórico, sendo culturalmente importante, e faz parte da base de conhecimento da civilização ocidental e da história dos EUA como a conhecemos. Esta obra foi reproduzida a partir do artigo original e permanece a mais fiel possível a sua fonte de origem.

O homem tem dois criadores: seu Deus e ele mesmo. Seu primeiro criador fornece-lhe a matéria-prima de sua vida e as leis em conformidade com as quais ele pode fazer dela o que quiser. Seu segundo criador – ele mesmo – tem poderes maravilhosos que raramente percebemos. O que conta é o que o homem faz de si mesmo. Quando falhamos na vida, normalmente nos vem à mente: "Eu sou como Deus me fez". Mas quando conseguimos algo, orgulhosamente assumimos que chegamos até ali sozinhos.

O ser humano é colocado neste mundo não como uma finalidade, mas como uma possibilidade. O maior inimigo do homem é ele mesmo. Em nossa fraqueza somos criatura das circunstâncias; mas em nossa força, somos os criadores das circunstâncias. Se seremos vítimas ou vitoriosos, depende muito de cada um. Mas não podemos esquecer nunca de uma só coisa: o homem nunca é verdadeiramente grande apenas pelo que é, mas sempre pelo que pode vir a ser. Descubra suas possibilidades a partir desta leitura e assuma, de uma vez por todas, o controle de seu destino.